原作:矢吹健太朗・長谷見沙貴　小説:ワカツキヒカル

Characters & Story

超純情君のリトと、宇宙一の美貌を誇る
デビルーク星の王女・ララ、
リトの同級生・春菜が織り成す、
キュート♥でちょっとHな
ドタバタ★
ラブコメ!!

ララ
【ララ・サタリン・デビルーク】

デビルーク星の王女。地球で出会ったリトのことが大好き。

西連寺《さいれんじ》春菜《はるな》

リトに密かな好意を抱く美少女。リトとは中学時代からの同級生。

結城《ゆうき》リト
【梨斗】

春菜に憧れる高校生。突然ララの婚約者に。

結城《ゆうき》美柑《みかん》

リトの妹。しっかり者で料理が得意な小学生。

ヤミ
【金色《こんじき》の闇《やみ》】

宇宙の殺し屋。タイヤキが好物。

九条《くじょう》凛《りん》
幼少から沙姫に仕える。
剣道の腕は一流。
天条院《てんじょういん》沙姫《さき》
超大金持ちのお嬢様。
リトたちの一年先輩。
藤崎《ふじさき》綾《あや》
沙姫を心から慕う
メガネの少女。
古手川《こてがわ》唯《ゆい》
学校の風紀にきびしい
リトのクラスメート。
御門《みかど》涼子《りょうこ》
保健の先生。宇宙人
の治療が裏の仕事。
お静《しず》【村雨《むらさめ》 静《しず》】
幽霊だが人工体《バイオロイド》に憑依。
御門の助手も務める。

To LOVEる -とらぶる-

危ないガールズトーク

CONTENTS

危ないガールズトーク

西連寺《さいれんじ》春菜《はるな》は、キッチンに立って料理をしていた。

全裸《ぜんら》で、エプロンだけをつけている。

フリルがかわいいエプロンは真っ白で、陶磁器《とうじき》のようなつやつやの肌《はだ》をいっそう白く輝かせている。

──やだな。私ってスゴイ格好《かっこう》で料理してる。これは夢よ。ぜったい夢よ。だってこんなのありえないもの。

夢の中の春菜は、うれしくてならないと言わんばかりの表情で包丁《ほうちょう》を握《にぎ》り、キャベツを千切りにしていた。

前屈《まえかが》みになっているので、エプロンの胸当ての上からも両脇《りょうわき》からも、胸のふくらみがのぞけてしまう。

とくに恥ずかしいのは背中だった。すべすべの背中を×《バツ》の字に飾るエプロンのヒモ、ウエストのヘコミでひらひらする蝶々結《ちょうちょむす》び。エプロンのスカート部分は後ろで左右に分かれていて、お尻《しり》の谷間が丸見えだ。

こんな格好、全裸よりも恥ずかしい。

フライパンの上のウインナと卵がじゅうじゅうと音をたて、オーブントースターでは食パンが香《こう》ばしい匂《にお》いをたてている。朝ご飯の準備なのだろう。食卓には二人分のマグカップと牛乳のパックが並んでいた。

「おはよう」

男性の声が響《ひび》き、誰かが春菜の背後に立った。

――きゃーっ。お願い、立たないでーっ。

春菜は内心で悲鳴をあげた。この恥ずかしい後ろ姿を見られているのかと思うと、たとえ夢の中とはいえ消え入りたくなる。

「あなた。もうすぐ朝ご飯よ」

夢の中の春菜は振り返ると、輝くような笑顔を浮かべた。

――なんだかこれって、新婚みたい。

相手はダンナ様なのだろうか。声が楽しそうに弾《はず》んでいた。

夢の中の男性は、春菜を抱きしめ、ちゅっとキスをした。

――きゃっ。私、キスしてるーっ。

フライパンの卵も、オーブントースターの中のパンも、いま作っている野菜サラダも二

人分。新婚の朝の一場面にしか思えない。

——相手は誰？

確かめたいのだが、顔がわからない。男性の顔に薄いモヤがかかっている。朝日を透《す》かしてオレンジに光る髪がハネているのが見てとれた。

顔を見たくてじりじりしていると、背後から伸びた手が、夢の中の春菜の背中をさらに強く抱きしめた。

「あ、ンッ、だめよ……あなた……」

甘い声をあげて身体《からだ》をくねらせる夢の中の春菜は、自分でもいやになるほどエッチっぽかった。

——あンッて何!?　あンッて!?　恥ずかしぃぃーっ。

春菜は両手で頭を抱《かか》えた。

そのとき、フッと目が覚めた。

見慣《みな》れた家具が目に入り、現実が戻ってきた。自分の部屋のベッドで眠っていたのだと気づく。さっきの新婚シーンはやっぱり夢だったのだ。

春菜はモゾモゾと起きあがった。

ピンクのパジャマが汗ばんで、肌に張りついている。恥ずかしい夢に悶《もだ》えるあまり、汗をかいてしまったらしい。

――私ってば、なんて夢、見ちゃったの？

カーテンの隙間《すきま》からのぞく窓の外は、闇《やみ》が黒く落ちている。

「何時だろ？」

目覚まし時計は、五時少し前を示していた。こんなに早い時間に起きてしまうなんて珍しい。

「ふぅ……」

春菜は大きなため息をつきながら、ベッドサイドのヘアピンを取り、顔に落ちかかる前髪をとめた。

☆

春菜は、彩南《さいなん》高校の廊下の窓枠《まどわく》にもたれて空を見ながら、まぶしそうに目を細めた。

睡眠不足の目には、降《ふ》り注《そそ》ぐ朝日が、ことのほかきらきらして見える。

ヘンな夢を繰《く》り返《かえ》し見て、そのたびに起きてしまうからだ。またあの夢を見るのではないかと思うと、眠りが浅くなってしまう。

朝の教室は、平和なざわめきに満ちていて、生徒たちはおしゃべりを楽しんだり、髪をいじったり、本を読んだりして、授業がはじまるまでのひとときを、それぞれにすごしていた。

——私、いったい、どうしちゃったんだろ？　あんな夢、何回も見ちゃうなんて……。

自分を抱き寄せる熱い腕の感触、背中に密着する胸板、春菜のお腹《なか》を抱きしめてきた大きな手。

胸のふくらみの奥がきゅんと疼《うず》いた。

——私、裸《はだか》にエプロンで料理してた……。

——あれって、裸エプロン、てやつかな？　新婚の朝みたいだった……。

春菜は至《いた》って普通の女子高生だ。好きな男の子はいるが、友達以上恋人未満のつきあいで、友達と一緒にすごす時間のほうがずっと多い。

そんな春菜にとって、結婚というものは遠い未来のできごとだ。

恋人のために料理している夢ならまだわかる。だが、なんでよりにもよって、新婚で、さらに裸エプロンで朝ご飯なのだろう。

頬《ほお》が熱くなった。

春菜は頬に手を当てて下を向いた。

——やだな。ほっぺた、熱いんだもん。

「はぁ」

ため息をつく。

そのとき、背後から伸びた手が、胸をキュッと揉《も》んできた。ずっと感じていた擬似《ぎじ》的な感触が現実へと変わっていく。

「きゃっ」

春菜は身体《からだ》をすくませた。

「どしたの～。春菜。ため息なんてついちゃって」

籾岡里紗《もみおかりさ》だった。

ウェーブがかかった肩までのフワフワの髪が大人《おとな》っぽい彼女は、いつも挨拶代《あいさつが》わりに胸を揉んでくる。

「元気出しなよーっ」

ほっそりした指が春菜の胸乳を揉みしだく。

「私もさわってやるっ。えいえいっ」

沢田未央《さわだみお》も一緒になって胸を揉んできた。未央のツインテールの先端が、首筋《くびすじ》に触《ふ》れてくすぐったい。

フローラルシャンプーの甘い香りがたちのぼった。

「やだぁ。やめてよーっ」

いつもならくすぐったいだけの刺激なのに、友達の指先が胸のふくらみにやわらかく食いこむと、胸のきゅんきゅんが激《はげ》しくなった。

「里紗ぁっ。やだ……あんっ、いやぁっ。未央、やめてぇ……っ」

「あれっ？　どうしたの？　春菜。なんかエロい、ってか、色っぽい……」

「ほんとだー」

二人は乳揉みをやめて、顔を見あわせている。

春菜ははじらって顔を伏《ふ》せた。

そうだ。里紗と未央に、聞いてみようかな。

「あの……」

――どうやって聞くの？「ねえ、里紗と未央って、えっちな夢って見る？」って聞くの？

――ダメ。そんな恥ずかしいこと。聞けない……。

「ううん。なんでもないのっ」

春菜は、身体の前で手を左右に振った。

「顔が赤くなってるよ」

「熱があるんじゃないの？」

未央がおでこをくっつけてきた。

未央の眼鏡《めがね》の奥の目が細められ、くっつきあった額《ひたい》から、春菜を心配する気配が伝わってくる。

「熱はなさそうね」

「でも、春菜、やっぱり元気ないよね。……そうだっ!! 放課後、カラオケなんてどう？」

「いいねっ!! 私、半額チケット持ってるよーっ」

里紗が誘うと、未央が制服のポケットから数枚のチケットを取りだした。

手品師のような手つきで、トランプのように指先で扇状《おうぎ》に開く。

「じゃーんっ!!」

「おぉ〜っ。さすが未央ーっ、ほんとうに半額だぁ」

「これね。期限、今日までなの。三人で行っちゃおう」

「わっ。うれしい。行く行くっ。春菜も行くでしょ？」

「うん。もちろん」

友人のやさしさがうれしい。春菜は小首をかしげて笑顔を浮かべた。

☆

里紗がマイクを両手で持ち、女性アイドルグループのダンスミュージックをノリノリで歌っている。

大人《おとな》っぽい美貌《びぼう》の彼女は、マイクを持つ手つきも堂に入《い》っていて、明るく元気な曲がよく似合う。

未央はメロンソーダを飲みながら選曲に一生懸命で、春菜はおだやかに笑いながら二人を見ていた。

——里紗と未央も、新婚のときは裸《はだか》エプロンするのかな？　それで、ダンナ様が背中から抱きしめてきて、チュッてキスして、胸だとかお尻《しり》だとかさわられたりするのかな。

友人の下着姿や裸は、体育の着替えや、修学旅行のお風呂で何度も見た。

未央の裸が脳裏《のうり》に浮かび、裸エプロンでいちゃいちゃしている里紗の映像が浮かぶ。

——やだぁっ。私ってば、何を想像しているの⁉　こんなの、未央と里紗に失礼よ。

春菜は頭を振って、妄想《もうそう》を追いだそうとじたばたした。

だが、ひとたびはじまったエッチな想像は、どうしたって頭の中から出ていってくれない。

「春菜〜っ。元気ないよ〜。何を考えこんでいるの」

間奏のところで、里紗がマイクで語りかけた。

抑揚《よくよう》をつけ、スピーカーを通したその声は、まるで歌のワンフレーズのように聞こえてくる。

――何を考えこんでいるの？

妄想を言い当てられた気分で、顔がかっと赤くなる。

間奏が終わり、里紗が熱唱を再開すると、ドアをノックして白いエプロン姿の女性店員があらわれた。

「お食事、お待たせいたしました〜」

「あっ」

ひらひらのフリルのついたエプロンに、春菜は思わず声をあげる。

突然の春菜の声に、里紗はサビの途中で歌をストップした。

歌い手を失ったカラオケが部屋に鳴《な》り響《ひび》く。

「えっと……なんでもないの……」

春菜は店員のエプロン姿からさっと視線をそらすと、さらに顔を真っ赤にしてうつむいてしまった。

里紗と未央は、目をきょとんとさせて春菜を眺《なが》めている。

店員は何事もなかったように、ピザやスナック菓子をテーブルの上に置いてさっさと出ていった。

「やっぱり、春菜、おかしいんじゃないの～？」

「うん。そうだね」

里紗がスイッチを切り、マイクを置いた。

春菜の両脇《りょうわき》に座った二人が、心配そうに顔をのぞきこんでくる。

「何か悩みがあるなら言って。私たちでよければ相談に乗るから」

「う、うん。そのね。夢を、ちょっと、見るだけ」

つい言ってしまってから盛大に後悔《こうかい》する。

「どんな夢？　怖《こわ》い夢なの!?」

「えっと、そのう、……料理している夢なの、は、恥ずかしくて……」

春菜は身体《からだ》をすくませるようにして言った。

――新婚で裸エプロンで料理している夢を見るなんて言えないよーっ。

「なんで料理している夢が恥ずかしいの？」

「あっ。わかった！　ひょっとして裸エプロンでしょ？」

——なんでわかっちゃうのーっ⁉

里紗に言い当てられ、春菜はもう耳まで真っ赤だ。火照《ほて》る顔をうつむかせながら、遠慮がちにうなずく。

「……そ、そうなの……」

「すっごーい。里紗、よくわかったねーっ」

「だってさ、春菜ってば、昨日《きのう》、調理実習のとき、私が『新婚ってね、裸エプロンするのよ。ダンナ様が喜ぶから』ってからかったら、恥ずかしそうな、困ったような顔をしたじゃない⁉」

「あ、そうかーっ。そうだよねー。『裸でエプロンなんて……』って、顔を真っ赤にしてうつむいてた」

「あれね、結婚したらそんな恥ずかしいことしなきゃいけないのかーって考えていたんだよ」

春菜は顔を真っ赤にさせながらうなずいた。

——それでヘンな夢見たんだ……。なんだ……。それだけのことだったんだ。

「ヘンな冗談言ってごめんね。別にそういう格好《かっこう》、しなきゃいけない、って法律はないから安心して」

「そ、そう、よかった。そんな格好しなきゃいけなかったら、私、恥ずかしくて結婚できなくなっちゃう」

春菜は両手で頬《ほお》を押さえたまま、首を左右に振った。

里紗と未央は顔を見あわせてニヤッと笑った。

「ははーんっ。春菜もお年頃だねぇー」

「そ、そんなことないよ……」

「でも、私もたまに見るなぁ、エッチな夢」

未央が真顔《まがお》で言った。

里紗があっけらかんと聞いてくる。

「どんなの？」

「胸が大きくなる夢なの。そしたらさ、バカみたいに男どもが寄ってきてさ!! でも、起きると元に戻ってるんだよね……はぁ、残念……」

「えっ!? 未央って……そ、その……」

——未央って、胸、小さくないよ。フツーだよ。

とは恥ずかしくて言えず、口ごもる。

里紗が真剣な口調で聞いた。

「ね？　未央。ちゃんとしたブラジャーのつけ方、してる？」

——ブラのつけ方って、ちゃんとしたのがあるの？

春菜は首をひねった。

毎朝、なんとなくつけているブラジャーに、つけ方があるなんて思わなかった。肩紐《ストラップ》に腕を通して、背中のホックをつけて、それで終わりではないのか。

未央も同じ気持ちだったようで、不思議そうに首をひねっている。

「つけ方なんてみんな同じだよね？」

「それがね、ブラのつけ方、ちゃんとしたのがあるんだよ。ブラってつけ方で、ムネが小さくなったりするんだよ」

歌わないカラオケをＢＧＭに、ブラジャー談義で盛《も》りあがる。

「え、そうなの？　だったら、ブラのつけ方で、ムネが大きくなるってこと？」

「そうだよー」

里紗はこれみよがしに胸を張った。

なるほど里紗の胸は、内側から形良く盛りあがり、制服をふっくらと押しあげている。

「ブラのつけ方でサイズが変わるんなら、大きくしたいな」

未央が真剣な表情で言う。

春菜も遠慮がちに、だが熱心にうなずいた。

春菜は自分のバストサイズを、ちょっと小さめかなと思っていたからである。

「ふふっ。それでは里紗さんの、ブラジャー講座をはじめまーす」

里紗は制服のブレザーを脱《ぬ》ぎ捨《す》てると、ブラウスも脱ぎ去った。

甘い香りが広がった。

「じゃーんっ!!」

コバルトブルーのシンプルなブラジャー姿になった里紗は、背中に手を回すと、ホックを外《はず》した。

ハーフカップのブラジャーが胸のふくらみの上に浮く。

「きゃっ」

春菜ははじらって下を向いた。横に座る春菜には、里紗の胸乳がばっちり見えてしまったからだ。

お風呂の裸や、学校の更衣室での下着姿は平気だが、カラオケボックスのランジェリー姿は恥ずかしい。

「まず、肩紐《ストラップ》を通したら、前屈《まえかが》みになって、ブラジャーのカップのワイヤーをおっぱいの下に当てまーす。そして背中のホックをつけまーす」

「それで?」

未央が眼鏡《めがね》の奥の目を細くして聞いた。

「ふふふっ、そんなの当たり前でしょ、とか思ってるんでしょ? 問題はここからあとよ」

里紗は自信ありげに友人たちを見渡した。

「ブラジャーの下に手を入れて、こうやって胸を持ちあげるようにして、贅肉《ぜいにく》をひっぱりあげてカップの中に収《おさ》めるの。反対側の手でワイヤーを押さえるのがコツよね。脇もこうやってこうしてひっぱり寄せるんだよ」

「えーっ!?」

未央が驚いて声をあげた。

――やだぁーっ。そんなにぎゅううぅってひっぱるの!? 恥ずかしぃー。

悲鳴をあげてしまいそうになり、春菜はあわてて口をつぐんだ。

里紗は、未央と春菜の注目を集めながら、ブラジャーの中に手を入れて、自分の胸をぎゅっぎゅっと持ちあげている。

「ほらっ」

里紗が手を放した。

右側だけ、たしかに胸乳が大きくなっている。

ハーフカップのブラの上に、白いふくらみがふんわりと乗っていた。

左との違いは歴然だった。CがDに変わるほどのボリュームの違いに目が丸くなる。

「こんなに変わるの⁉」

「特別製のブラ？」

未央が里紗のブラジャーのタグをのぞきこんで、興味津々《しんしん》問いかけてくる。

「フロントホックの補正用ブラだともっとすごいよ。寄せてあげると、バーンって大きくなるんだから。でも、これは普通のだよ。普通のブラでもちゃんとしたブラのつけ方をすると、これぐらいは変わるの」

里紗はおしゃべりしながら前屈みになり、左のカップに手を入れて、胸を寄せてあげた。

両方ともふんわりと大きくなる。

「そ、そうなんだ……知らなかった」

「私、ちょっとやってみる」

「そ、そうね。私も」

未央はいそいそと、春菜はおずおずと制服を脱いだ。

甘い香りがいっそう強く香りたつ。ほこりっぽいカラオケボックスが、女子更衣室のにぎやかな雰囲気にとって代《か》わる。

春菜のブラジャーは白で、フチにフリルのついた初々《ういうい》しいデザインだ。未央はチェックのかわいいデザインで、里紗はコバルトブルーの大人っぽいもの。ランジェリーの選び方ひとつにも、性格の違いが表れていておもしろい。

「えっと、こうやって、こうしてひっぱりあげるのよね？　わーっ。できたぁっ。ほんとに大きくなったぁっ!!」

未央は、胸をぷるるんぷるるん前後に揺すって、大きさを誇示《こじ》している。

「すごぉーいっ。谷間がくっきり。ありがとぉーっ。里紗ーっ」

未央が里紗に抱きついた。そして、ぴょんぴょんはしゃいでいる。女の子にとって、くっきりした谷間は小躍《こおど》りせずにはいられないほどの喜びだ。

「春菜はどう？」

「えっと、その……」

春菜は、身体をすくませて、腕で胸を隠した。同性とはいえ、下着姿を見られるのは照れくさい。

「サイズ、そのう、あんまり変わってないかも……」

「春菜って、スレンダーだからねー。里紗、どう思う？」

「でも、スレンダーなのは、三人ともだよね」

里紗と未央が目配《めくば》せした。

「私、やってあげる」

里紗が手をワシワシさせてにじりよる。

「私が押さえてるねー」

未央が春菜の背後に回りこむ。

「な、何を……？」

未央が春菜の腕をつかんで気をつけの姿勢にした。里紗が春菜のブラジャーのカップの中に手を入れ、胸のふくらみをぎゅっとつかむ。皮膚《ひふ》がザワリと鳥肌《とりはだ》立った。

胸乳をむぎゅっとつかまれて、ぐいっとひっぱりあげられる。

春菜は悲鳴を押し殺した。

「んっ、……ぁっ」

――むぎゅって……やだぁあっ。あーんっ、そんなぐいぐいひっぱらないでぇっ！

ふりほどきたいのに、腕をつかまれているからそれもできない。

ひんやりした里紗の指が、遠慮のない強さで胸のふくらみをひっぱるたび、ゾクゾクした戦慄《せんりつ》が背中に走る。

長いような、短いような時間が経過した。

両方のブラの中でぎゅうぎゅう動いていた手がようやくのことで引き抜かれた。

「ほらできたっ」

「わーすごいっ。おっきくなってるーっ」

「えっ？」

春菜はまじまじと胸を見た。たしかに胸乳がふっくらしている。

胸の大きさが増していた。ちゃんと谷間ができていて、ほどよい大きさでいい感じだ。

「ほ、ほんとね」

「だって春菜って、怖がってモゾモゾしてるだけだもん。もっとぎゅーっ、ぐいってしなきゃっ」

里紗が手を招きネコのようにあげ、ぎゅー、ぐい、の手つきをした。

「やだっ」

「あははっ」

「ふふっ」

三人の女の子たちはその場に座りこんで笑う。

そして下着のままで、ガールズトークに突入する。

「猿山《さるやま》っておかしいよねー。あいつホントはサルだったりして!!」

「古手川《こてがわ》さんってさぁっ、もう少しうるさくなければなぁー」

クラスメートのウワサ話に、男の子たちの話。

誰と誰が交際しているか。誰がカッコイイか。里紗と未央が熱心にしゃべるのを、春菜は相《あい》づちを打ちながら聞いている。

もう、カラオケは止まっているが、女の子たちの話題はとりとめがなく、えんえんと続いていく。

「ねぇねぇ。ファーストキスってオレンジの味ってホントかな？」

未央の唇《くちびる》が、きわどい言葉を紡《つむ》いでいる。

「オレンジの味かぁ……」

春菜は唇に指先を当て、ふんわりした笑《え》みを浮かべながら小首をかしげた。

「春菜は誰とキスしたい？」

——夢の中の私、大人の男性とキスしてた。相手は誰だったんだろ？

——私がキスしたいな、と思うのは……。

「ゆ……」

——結城《ゆうき》くん。

「ゆ？　ゆって……まさか結城⁉」

「ち、違うよ。ゆ、ゆゆゆ、夢みたいって思ったの」

春菜はあわてててうち消した。

☆

結城リトはひとりで、カラオケボックスの廊下を歩いていた。友達の猿山やクラスメートたちとカラオケをしていたのだが、トイレに中座したのである。

「えっ。オレ？」

自分の名前が聞こえてきたものだから、びっくりして足を止める。

ドアにはめられた曇《くも》りガラスからは、部屋の中をはっきりと見ることはできないが、間違いない、さっきの声は春菜たちのものだ。

ドアに側頭部をつけて耳をすますが、会話はとぎれとぎれにしか聞こえてこない。

——うぅ、聞こえねぇ。

「おーい、リト、どうしたー？」

いちばん端《はし》の部屋のドアが開き、猿山が顔を出した。

リトがいつまでも帰ってこないので、心配したのだろう。

ドアに耳をつけ、立ち聞きモードになっているリトを見て、首をひねりながら歩いてくる。そして、飛びはねるようにしながらリトの頭上をのぞきこむ。

「どうした。何かあんのか？」

「うわっ」

あわてて猿山の方に向き直り、背中でドアを隠した。

いくら自分の名前が聞こえたとはいえ、女子のうわさ話を立ち聞きしていたなんて知れたら、ただではすまない。

「な、なんだよ。さてはカワイ子ちゃんでもいるとか？　オレにも見せてくれよ～っ」

「ち、違うんだ。やめろっ」

リトは室内の様子《ようす》を見ようと必死の猿山から、ドアをガードしようとして一生懸命になった。

そして……。

☆

里紗がふいに黙りこむと、怖《こわ》い顔で立ちあがった。

「どうしたの？」

春菜がとまどった声をあげた。

里紗は緊張感をあらわにして、つかつかとドアに歩み寄る。

「あ、ほら、ドアの向こう。あれ、うちの男子じゃない？」

未央が指を差す。ドアにはめこまれている曇《くも》りガラスから、淡《あわ》いキャメルカラーのブレザーに、緑のチェックのズボンが見える。彩南高校の制服だ。背中をドアにぴったりと張りつかせてモゾモゾしている。

光線の加減でオレンジに見える無造作《むぞうさ》ヘアは、春菜の大好きなクラスメートを思わせた。

「結城くん……」

里紗が無言でドアを開けた。里紗らしい行動だった。

リトと猿山がなだれこんできた。

「ぎゃあっ」

春菜はブラウスを胸の前にかき寄せながら席を立った。リトに見られたのではないかと思うと、恥ずかしくて居心地が悪くて、顔が真っ赤に染まってしまう。

「うわーっ」

「きゃあああぁあっ」

「エッチ、痴漢《ちかん》っ、最低っ!!」

「ち、違うっ」

「のぞいていたくせにっ」

「のぞいてないっ!! お、オレは……ただ、少し声が聞こえて……」

「立ち聞きっ!?」

里紗の柳眉《りゅうび》が逆立《さかだ》ち、未央の周囲で、怒気《どき》がめらっと燃えあがった。

男の子という生き物は、どうしてバカな言《い》い訳《わけ》をするのだろう。ガールズトークの立ち聞きなんて、のぞきと同じぐらい失礼だ。

「ゆ、許せないっ」

未央がリモコンを投げつけた。

猿山の頭にごいんと当たって跳《は》ね返《かえ》る。猿山はきゅう、とうめいて座りこんだ。

春菜は胸を両手で抱《かか》えて隠し、早くブラウスを着ようと必死なのだが、あせっているせいか、ぜんぜんボタンがはまらない。

里紗と未央は、ブラジャーで隠された胸をぷるんぷるん揺らしながら猿山とリトを蹴《け》りだした。

「出ていけっ」

腰に手を当て、肘《ひじ》を張って怒鳴《どな》る。

里紗と未央の二人の声が見事にハモった。

「す、すみませんっ」

「ごめんなさいっ」

リトと猿山はおろおろと走りだしていった。

収《おさ》まりの悪いリトの髪がぴよんぴよんとハネていた。

——あ、そうだ。

朝の夢で春菜の背中を抱きしめてきたのは、大人《おとな》になったリトではなかったか。顔だちはわからなかったが、髪ははっきり覚えている。

——私って、結城くんとの新婚の朝を妄想《もうそう》してたんだ……。

エッチな妄想が幸せな将来の夢に変わっていき、喉《のど》の奥でイガイガしていたカタマリがストンと落ちた。胸の奥がふんわり温《ぬく》い。

春菜は小首をかしげて甘く笑った。

里紗と未央も、失礼な男の子たちを蹴りだしたことで気がすんだのか、あははと声をあげて笑った。

カラオケの止まったカラオケボックスの中で、三人の少女たちの笑い声が楽しそうに響《ひび》いている。

☆

翌朝。

春菜は、顔をぺろぺろ舐《な》めてくる熱い舌の感触で目を覚ました。

ワフワフと息を荒らげる気配がする。おひげが頬《ほお》に当たってくすぐったい。

飼い犬のマロンだった。

「マロン。おはよう」

春菜はパジャマの胸に、ボストンテリアのマロンをギュッと抱きしめた。モフモフの感触が心地よく、頬をスリスリしてしまう。

「どうやって部屋に入ってきたの？」

ドアはマロンには開けられない。

「春菜、そろそろ起きなさい」

姉の秋穂《あきほ》が、ドアのところに立っていた。

「マロンが、朝のおさんぽに連《つ》れていってほしがって、ドアをカリカリしていたの。……祝日だからって、朝寝なんてらしくないわよ」

ベッドサイドの目覚まし時計は、朝十時を示している。

「夢……」

「どうしたの？　何かヘンな夢でも見た？」

「違うのっ。夢、見なかったのっ!!　ぐっすりだったのっ」

——ありがとう。里紗、未央……。

夢に出てきた男性が、大好きな少年だと気づけてよかった。里紗と未央と一緒にカラオケに行かなかったら、今日もエッチな夢にうなされて起き、ひとりでもんもんとしていたのにちがいない。

「そう？　コーヒー、淹《い》れておいたから」

秋穂がドアを閉めた。

春菜はベッドから下りると、前髪をヘアピンでとめた。

机の上の鏡をのぞきこむ。スッキリした顔の自分が映っている。瞳《ひとみ》の水晶体《すいしょうたい》が磨《みが》かれたようにキラキラしていた。夢も見ず、ぐっすり眠っていたから当然だ。

「マロン、待ってて。すぐ着替えるから」

春菜は足もとにまとわりつくマロンに声をかけ、パジャマの上着を勢いよく脱《ぬ》いだ。ほどよい大きさのムネがぷるんと揺れた。

タイヤキ大作戦

ヤミはタイヤキが好きだ。

タイヤキは、ショッピングモールのフードコートや、スーパーのファストフードコーナーより、屋台のほうがおいしい。

それも、無愛想《ぶあいそう》なおじさんが、ムスッとした表情で差しだしてくれるような、そんな屋台がいい。

だからヤミが今日なんとなく買ったこのタイヤキも、きっとおいしいはずだった。

たとえ客がぜんぜんおらず、真冬特有の強い風が枯れ葉を巻きあげながら吹きすさんでいても、お魚みたいな生臭《なまぐさ》い匂《にお》いが漂《ただよ》っていても、屋台のタイヤキである以上、ぜったいおいしいはずだった。

☆

ヤミは、湯気のたつタイヤキをひとくち食べて絶句した。

違和感のある味だ。苦《にが》いし、どこか生臭《なまぐさ》い。あんこがべちゃべちゃで、タイヤキの皮がしんなりしている。

いつも無表情なヤミが、思わず顔をしかめてしまうほど、そのタイヤキはまずかった。

なるほど、この味なら、閑古鳥《かんこどり》が鳴くのはムリはない。

ヤミが、手に持っていた本で口を隠したとき、屋台を押していた子供と目があった。

小学校入学前らしい少年だった。つぶらな黒い瞳《ひとみ》で、ヤミをじっと見あげてくる。

屋台を引く男性と顔がそっくりだから、親子なのだろう。

ヤミは無表情をとりつくろうと、タイヤキを全部平らげた。

「お姉ちゃん。おいしかった?」

「個性的な味ですね」

「す、すまねぇ」

父親らしい男性が、帽子《ぼうし》を外《はず》して謝罪した。年齢は三十代後半。くたびれた雰囲気だが、町を歩けばごく普通にいる平凡な男性だ。

だが、ヤミにはわかる。地球人を装っていても、異星人にはどうしようもなく気配がある。言葉にできない特徴だ。

「私はそのう、地球人の味覚ってのが、どうもよくわからないんだ」

この男性も、目の前の少女が異星人であるのを見抜いているようだ。

ヤミは、地球人の少女の外見をしている。

ほっそりした身体《からだ》を、黒のエナメルのミニドレスにつつんでいる。ブーツも黒で、長い金髪をとめる髪飾りも黒だ。

胸のふくらみは乏《とぼ》しく、手足がすらっと長い。黒ずくめの服装と長い金髪が、肌《はだ》のなめらかな白さを引き立てている。愛らしい少女にしか見えない。

「どこの星の方ですか」

「ワルギス星だ」

「ワルギス星……」

ヤミの瞳がスッと翳《かげ》った。


忘れようとしても忘れられない名前だった。

ヤミは地球に来るずっと前に、ワルギス星の総統《そうとう》をターゲットにした依頼を受けた。

ヤミのコードネームは、金色《こんじき》の闇《やみ》。

宇宙を股《また》にかけて暗躍《あんやく》する殺し屋だった。

ワルギス星は、星をあげて海賊行為をしていて、ワルギス星域《せいいき》の近くを通りかかる星間輸送船をありったけ略奪《りゃくだつ》してのけていた。

海賊被害に悩む輸送船のオーナーから依頼を受け、ワルギス星の総統府を襲《おそ》ったとき、半魚人の姿をした総統はこう言った。

――ワルギスは資源の乏《とぼ》しい星だ。我《わ》が星の星民《こくみん》たちを飢《う》えさせたくなかったから海賊をしただけだ。総統である私が、民《たみ》のことを思って何が悪い？

そして総統は、尖《とが》った口からピュッと海水を吹きだした。怯《おび》えたときや驚いたときの、ワルギス星人の特徴的な行為だった。

ヤミは答えた。

――私は任務を遂行《すいこう》するだけです。

ヤミは体内のナノマシンを発動させた。

ヤミの細い身体が躍動《やくどう》し、そして……。

「総統が入院されてから内乱が起こって。経済がめちゃくちゃになって……。豊かな星《くに》だったのに……。みんなちりぢりばらばらで……」

「僕たち一家は、みんなで地球に逃げてきたんだ」

「妻はもうずっと具合が悪くて」

「うぅっ。ぼ、僕ら、屋台でがんばってタイヤキを売って、お母さんに薬を買ってやるんだ」

「すまねぇっ。息子《むすこ》よっ。ふがいないお父さんを許してくれっ」

「違うよっ。お父さんが悪いんじゃないっ。あの金色の闇という殺し屋が、総統を襲ったりしなければ……っ!!」

「息子よーっ」

「お父さーんっ」

二人はおいおいと泣きながら抱きあった。

興奮のあまりか、人型《ひとがた》をキープすることができず、半魚人の姿に戻っている。

ワルギス星人独特の、尖った口をした魚人間二人が抱きあって泣きじゃくる様子《ようす》は、哀《あわ》れでもあり滑稽《こっけい》でもあった。

ヤミは、じっと二人を見つめた。

そして無表情で聞く。

「あなた方は、いつもこちらにいるのですか？」

「ああ、いつもこのへんを流している。……そういえば姉さんって、金色の闇みたいだな」

ヤミはまっすぐにお魚親子を見返した。

落ち着き払った様子は、心外だと怒っているようにも見え、タイヤキ店主はあわてて謝罪した。

「すまん。金色の闇っていう殺し屋は、金髪の地球人型で、黒いドレスを着ていると聞いたんだよ」

「違うよ。お父さん。金色の闇って、怖《こわ》い顔をしたヤツなんだよ。髪の毛がナイフになったり、腕がハンマーになったり、全身凶器《きょうき》のバケモノなんだ!! 金髪で黒いドレスの地球人タイプが全部そうなら、地球は殺し屋だらけになってしまうよ」

ヤミは二人をじっと見ている。

「わかりました。また来ます」

「おう、オレの名前はエラッソマだ」

「僕はコマッソマだよ」

「ワルギス星人のエラッソマとコマッソマですね。それではまた」

ヤミはその場を立ち去った。

キュッと唇《くちびる》をかみ、決然とした表情を浮かべながら。

☆

翌日——。

「タイヤキのレシピです」

ヤミは、エラッソマにコピーの束《たば》を差しだした。

図書館に行き、レシピを調べたのだが、タイヤキについて載《の》っている文献《ぶんけん》はあまりなかった。

それでも、ありったけの料理本をひっくり返し、ようやくのことで見つけたのがこのレシピだ。

「この通りに作れば、地球人の味覚にあうタイヤキができるはずです」

中年男は困ったような笑《え》みを浮かべた。

「すまねぇ。オレたちは、地球の文字が読めないんだ」

「それでは生活するのに困りますね」

「ははは……そ、そのうち、自動翻訳《ほんやく》機を買うよ」

翻訳機は高い。

地球だと銀河《ぎんが》通販で手に入れることができるが、レートの関係で恐ろしく高価になる。

この貧乏親子には手が出ないにちがいない。

だが、ヤミは言葉を呑《の》みこんだ。そんなこと、本人がいちばんよく知っているはずだ。

ヤミがわざわざ指摘する必要はない。

「私が読みましょうか？」

「ありがてぇが、そもそも味覚が違うんだから、レシピだけじゃムリかもな」

ヤミは考えこんだ。

ヤミも異星人だ。味覚は、地球人とかなり近いとはいえ、地球人とまったく同じ味覚をしているとはいいがたい。

「料理が得意な地球人を知っています」

この時間なら、下校時間にちょうど間にあう。

「少し待っていてください」

ヤミはしなやかな金髪を揺らしながら走り去った。

☆

結城美柑《ゆうきみかん》は、教科書やノートの入ったリュックを揺すりあげながら、小学校の校門を出た。

ショートパンツからすらっと伸びた長い足も、遠慮がちな大きさの胸も、ほっそりした身体《からだ》つきも、小学六年生の女の子のものだ。

ボールつきのヘアゴムでくくった髪が、風に揺れる花びらのようにハネる。

――やっぱりシチューかなぁ。肉は冷凍庫のやつを使って、あとは野菜サラダを作ろうかなぁ。

晩ご飯のメニューを考えていたとき、黒いミニドレスが視界をかすめた。

友達が、歩道の柵《さく》に腰をかけてぼんやりしていた。

「ヤミさんっ！」

ヤミの金髪と黒のミニドレスはやたらと目立ち、小学生たちが珍しそうに眺《なが》めながら歩いていく。

「美柑」

ヤミがひらりと柵から飛び降りた。金髪が風になびいて鳥の羽根のように広がる。体重を感じさせない身軽な動きだ。

「どうしたの？」

「頼みがあります。一緒に来てください」

ヤミが美柑の手をつかんで歩きだした。

ランドセルやリュックを背負《せお》った小学生たちが三々五々下校していくなかを、急ぎ足で追い越していく。

「どこへ行くの？」

ヤミは答えない。

キュッと唇《くちびる》を引き結び、怖《こわ》い顔をしている。

いつも無口な友達だが、今日はちょっとヘンだ。

——ヤミさん、元気ないなぁ。なんかショックなことでもあったのかなぁ。

事情がわからないながらも、小走りで急ぐ。

町はずれまで来たヤミは、タイヤキの屋台の前で足を止めた。

競歩《きょうほ》のような速さで歩いた美柑は、弾《はず》む息を整《ととの》えるのでせいいっぱいだ。

「おー、姉さん。もう戻ってきたのか。早いな」

「ひとつください」

「え？　ひとつなの？」

ヤミはタイヤキが好物で、いつも袋入りのタイヤキを食べている。主食だと言ってはばからない。そんな彼女がひとつしか買わないなんて珍しい。

「美柑に食べてほしいのです」

「食べればいいんだね？」

ひとくち食べた美柑は、あまりのまずさに閉口した。

――うっ、こ、これは、マズイってレベルを超《こ》えてる、っていうか……。人間の食べ物じゃない、っていうか。

だが、屋台の横に立つ保育園児ぐらいの少年が、美柑の顔をじっと見ている。

吐《は》きだすことはできなかった。

――ヤミさーんっ。な、なんでこんなものをーっ。

生臭《なまぐさ》い味が口いっぱいに広がるが、勇気を出してごくりと呑《の》みこむ。

「お姉ちゃん、おいしかった？」

「うっ……」

美柑は汗まみれの顔にひきつった笑《え》みを浮かべた。

「おいしくないんだ？　やっぱり」

「えっと、その……」

美柑は困り果てて友達の顔を見た。

「美柑、頼みがあります。レシピはありますから、タイヤキの料理法を彼らに教えてあげてほしいのです。大人《おとな》がエラッソマで、子供がコマッソマです」

「タイヤキ？　で、できないよ。そんなの。私が作れるのは、シチューやハンバーグとかの家庭料理だってばっ」

美柑はあわてて手を振った。

「美柑が頼りなのです」

「お父さん。僕が小学校に行って、文字を覚えて本を調べるよ」

「だが、小学校に行くには金が……」

「お父さん、僕、がんばって屋台を押すよ」

「うぅっ。すまねぇ。息子《むすこ》よ」

屋台の店主と少年は、抱きあっておいおいと泣きだした。

感極《きわ》まったあげく、また半魚人になっている。

――この人たち、異星人なんだ……。

魚の目から滂沱《ぼうだ》と涙が落ち、両手のすぐ下から巨大な胸鰭《むなびれ》を出して抱きあっている。

感動的な光景のはずなのだが、至《いた》って普通の地球人的美的感覚を持つ美柑の目には、魚型異星人が抱きあいながら泣きむせぶ様子《ようす》は違和感があり、複雑な表情を浮かべている。

ふと横に立つ友達を見て、ハッとして息を呑んだ。

ヤミは寄せた眉根《まゆね》をせつなくあげて、お魚親子を眺めている。表情はほとんど変わっていないが、友達が悲しんでいることが美柑にはわかる。

――ワケアリなんだ……。

ヤミが宇宙の殺し屋だったとき、きっと何かあったのだ。

そしてヤミは、あの異星人親子に、手助けをしてあげたいと思っている。

――どうしてヤミさんはそう思うの？　ごめんね、なの？　ゆるしてね、元気だしてね、なの？

そんなことどうでもいいではないか。友達が困っている。それだけだ。

「私ん家《ち》、タイヤキを焼く道具なんてないよ」

「それは屋台でなんとでも」

「レシピ、あるんだよね？」

「はい」

美柑は心を決めた。

「そっか。じゃ、タイヤキの料理方法、研究してみるね」

「すみません、美柑」

「いいって！　料理は手順と愛情だよ。おいしくなぁれ、って作るとおいしくなるんだよ」

「レシピはこれです」

美柑は、ヤミから受け取ったコピーの束《たば》に視線を走らせた。

「重曹《じゅうそう》と小麦粉、小豆《あずき》、砂糖、塩、それに卵、水……。重曹とか小豆とかないなぁ。小豆を煮《に》てあんこを作るわけね。うわ、一晩水につけて三時間煮てあくを取る？　大変そうだな。とりあえず、あんこの缶詰《かんづめ》を買ってこなきゃ。私、スーパー行って買ってくる」

「私も行きましょうか？」

「だいじょうぶだよ。重いもんじゃないし。私ん家《ち》の前で待ってて。屋台ごとだよ」

リュックを揺すりながら駆けだした美柑を、ヤミが追いかけてきた。

美柑に小声でささやく。

「美柑、お願いがあります。私が金色《こんじき》の闇《やみ》であることを彼らに言わないでほしいのです」

「ヤミさんって呼んじゃダメってことよね？　どう呼べばいいかな？」

わずかな間《ま》をおいて、ヤミは頬《ほお》を赤らめながら、つぶやくように言った。

「……姉さんとでも」

「わかった。じゃあね」

☆

美柑がボウルの上でぱかっと卵を割ると、小麦粉の白の上で、卵の黄色がつるりと回った。

「三百ｃｃ……」

水を計量カップできっちりと量《はか》って入れ、泡立て器でシャカシャカと混ぜていく。

すぐにクリーム状のもったりしたタネができあがった。これがタイヤキの皮になる。

「ヤミさん。レシピ通りにタネを作ったから焼いてもらって。あんこはこれ。缶詰《かんづめ》なんだ」

「美柑、ありがとう」

「あの親子に、火力を強くして、外がカリカリになるように焼いて、って頼んでみて。私が食べたとき、ちょっと生焼《なまや》けっぽかったんだ。しっかり焼いて焦《こ》げ目《め》をつけるだけで、タイヤキっぽくなると思う」

ヤミは結城家のキッチンと外で待機している屋台を往復し、あんことボウルを運んでいく。

美柑はレシピとにらめっこをしながら、小豆《あずき》の袋の口を切り、鍋《なべ》にザラザラと入れる。

「一晩つけておかなきゃいけないんだ……」

ひとりごちたとき、背後から声がかかった。

「ただいまー」

「美柑、ただいま」

「お帰り、リト、ララさん」

兄のリトと、居候《いそうろう》のララが、学生カバンを提《さ》げて立っていた。ララは銀河を束《たば》ねるデビルーク星のプリンセスで、ひょんなことからリトを好きになって同居している。

「ねー、美柑。なんで外にタイヤキ屋さんがいるの？」

「美柑、さっき、ヤミがボウルを抱《かか》えて出ていったけど、いったい何がはじまるんだ」

「タイヤキを作るんだよ」

美柑は、目を眇《すが》めると、当然でしょ、そんなこともわからないの？　と言わんばかりの口調で答えた。

こういうとき美柑は、小学生らしくない、ナマイキそのものの表情になっているのだが、本人にはその自覚はない。

リトが、まいったな、という表情で、ぽりぽりと頭を掻《か》いた。

ヤミが、紙袋入りのタイヤキを持って戻ってきた。

「美柑、焼けました」

「早いんだね」

「養殖《ようしょく》ですから」

「えっ？　養殖？」

美柑とリトの声が見事にハモった。気のあう兄妹《きょうだい》である。

「鯛《たい》だから、養殖と天然とあるのかも？」

ララが人差し指を顎《あご》につけて首をひねる。

「その通りです。プリンセス。よくご存じですね。一度にたくさん焼けるタイプのものが養殖で、ひとつひとつ手焼きするタイプが天然だと本に書いてありました」

「へえ。知らなかった」

「今の屋台は、養殖がほとんどなのだそうですよ」

「焼きたてだよーっ。リトもララさんも食べて」

美柑は、リトとララに一個ずつタイヤキを渡した。

「美柑はいいのか？」

「えっとその、私はいらな……そ、そうだね。もらおうかな。味見しなくちゃいけないしね」

勇気を出してタイヤキをもらう。

美柑が強火で焼くように頼んだのがよかったのか、匂《にお》いはちょっと悪いものの、周囲はカリカリに焼けていて、おいしそうな雰囲気だ。

いっせいにぱくつく。

「おえっ」

「うぅっ」

「個性的ですね」

結城兄妹が目を白黒させながらうなり声をあげ、ヤミがため息をついた。

ララひとりが幸せそうに笑《え》み崩《くず》れる。

「おいしいよ〜」

「なんでこんな味になるの？」

美柑は首をひねった。前回のタイヤキに比《くら》べるとかなりマシだが、おいしいというレベルにはほど遠い。

あんこは缶詰だから、ちゃんと小豆の味がしたものの、とにかく皮がダメだった。いい具合に焼けていていかにもおいしそうなのに、どこか生臭《なまぐさ》くて味が悪い。

「おかしいなぁ。レシピ通りに作ったんだよ」

「私はおいしいけどな〜。もうひとつもらっていい？」

ララが残りのタイヤキに手を伸ばす。

「どうぞ。プリンセス」

ララはタイヤキを食べながら、甘い笑みを浮かべた。

「おいしい」

「……そっか、ララさんはこれがおいしいんだ」

「うん。デビルーク星のお祭りで食べた銀河駄菓子《だがし》の味だよ。なつかしいよー。お祭りのときだけしか食べられなかったんだよね。私はもっと辛《から》いほうが好きだけど」

「でもさ、ララさんひとりがおいしく食べてもダメなんだよ。地球人の味覚にあわせないと。だって、地球にたくさんいるのは地球人なんだから。……ねえ、リト、どうしたらいいと思う？」

つい話を振ってしまったところ、リトが逆に聞いてきた。

「そもそもなんでタイヤキ作ってるんだよ？」

当然の質問だった。

美柑は返答に詰《つ》まった。

「うっ、そ、その……」

ヤミはゆらゆらと瞳《ひとみ》を泳がせたあと、目を伏《ふ》せた。ヤミの表情がこわばっている。理由を聞かれたくないのだろう。

沈黙が落ちた。

ララが、どうしちゃったのかなーっという表情で、三人を見比べている。

リトがフッと息を吐《は》いた。

「まあいいや。困ってるんだろ。オレにできることがあったら言ってくれ。協力するよ」

リトはあっさりと言った。

いかにもリトらしい反応に、美柑の顔にぱあっと明るい笑顔が戻る。

「うんっ。リト、ありがと!!」

「私も協力するーっ」

ララが片手をあげて申しでた。

「ありがとう。ララさんっ」

「これ、レシピ通り作ったって言ってたよな。そのレシピがおかしいんじゃないか。ほかのタイヤキレシピでやってみたらどうかな?」

「図書館に行ったのですが、それしか見つかりませんでした」

「うーん。そうだね……」

美柑は考えこんだ。

レシピ通り作ってうまくいかないとなれば、配合を変えるしかない。

だが、小豆を煮《に》るには時間がかかる。缶詰のあんこは使ってしまったから、あんこ入りノーマルタイプのタイヤキは、今日はもうあきらめよう。

「よしっ。中身で勝負だよ。カスタードクリームタイヤキとか、チョコタイヤキとか、クリームチーズタイヤキとか作っちゃおう。スイーツっぽくなって、いいと思うんだ」

「いいですね。私、エラッソマに言ってきます」

ヤミがいそいそとキッチンを出ていく。

間もなく、台所の窓が外から開き、異星人親子が塀《へい》の外から手を振った。

背の低いヤミは窓の下に立ち、背伸びをしている。

「あれ、ヤ……」

——ヤミさん、トランス、使えばいいのに……。

言いかけて言葉を呑《の》みこむ。

トランス能力。

身体《からだ》の一部を拳《こぶし》やハンマー、ナイフ等に変化させて、敵を襲《おそ》う能力だ。金色《こんじき》の闇《やみ》が、全身凶器《きょうき》と呼ばれるゆえんである。

体内のナノマシンを発動させて変化させるとヤミから聞いたが、美柑にはむずかしいことはわからない。遠くのものを持ったり、手を触れずにドアを開けたりできるので、便利な能力だなと思う程度だ。

「おー。姉さんが教えてくれるのか。手間かけてもうしわけないが、助けてくれ」

「うん。がんばってみるね」

「美柑、手伝いましょうか？」

ヤミが窓の下から声をかけた。

「そうだね。ヤ……お姉さん、買い出し、お願い。ちょっと待って。メモるから」

美柑は手早くペンを走らせてメモを取ると、財布《さいふ》と一緒に窓の外に差し出した。

ヤミが背伸びをして財布とメモを受け取る。やはりトランス能力は使っていない。

「行ってきます」

ヤミがバタバタと出かけていく。

美柑は腕まくりをして、エプロンのヒモを結び直した。

牛乳を入れた鍋を火にかけて、カスタードクリームを作る準備をはじめる。

「オレも何か手伝おうか？」

「今はいいよ」

「レシピ、調べてきてやろうか」

「ううん。いい。ヤミさんが、それしか見つからなかったって言ってたし」

「美柑、晩ご飯は？」

ララが空気を読まずに聞いた。

「タイヤキ」

「えーっ。タイヤキかよー」

「わあっ、うれしいなーっ」

リトが文句を言い、ララが胸の前で両手を打ちあわせてはしゃぐ。

「だって、味見しなきゃ。ララさんは銀河駄菓子味タイヤキができたときに食べてもらわなきゃいけないし」

美柑は手を止めずに言った。

☆

翌日……。

ヤミはスーパーの袋を提《さ》げて、結城家へと向かっていた。

タイヤキ作りは難航をきわめていて、今日はもう、二度目のスーパーだ。だが、ほんとうに大変なのはヤミではなく、料理担当の美柑だった。

ヤミがコピーしてきたレシピは、あんこ入りノーマルタイプのものなので、クリーム味やチーズ味、チョコ味タイヤキのレシピはない。

美柑は、一生懸命クリームを練《ね》り、異星人親子はせっせとタイヤキを焼き、みんなに味見してもらい、味を見て配合を考え直す。

だが、地球人好みの味にはどうしたってならない。どこか生臭《なまぐさ》い匂《にお》いと違和感のある味になってしまうのである。

——美柑、めんどうなことをお願いしてすみません……。

年下の友達に内心で謝《あやま》りながら、帰路を急ぐ。

タイヤキはきっとプロの料理なのだ。

留守がちな両親に代《か》わって結城家の台所を預《あず》かってきた美柑だが、小学生の彼女にタイヤキは荷が勝ちすぎる。

「ヤミ」

淡《あわ》いキャメルカラーのブレザーと緑のチェックの制服が、道の向こうで手を振っている。

リトだった。

「結城リト、何か用事ですか？」

「それ、美柑が頼んだやつだろ。オレが持とうか？」

「平気です。今日は遅いのですね。プリンセスはもうお帰りですよ。結城リトはどこに行ってきたのですか？」

「図書館だよ。本屋さんにも行ってきた。レシピ、探したんだけど、ヤミがコピーしたやつ以外、見つからなかった」

「結城リトは私の言ったことを聞いていませんね」

「図書館の本って何千冊もあるだろ。書庫とかに眠っている料理本で、タイヤキレシピが載《の》っているのがあるかもしれないって思ったんだ」

「親切ですね。私はあなたを暗殺するためにここにいるのですよ?」

それはかつて、宇宙の殺し屋、金色《こんじき》の闇《やみ》へなされた暗殺依頼。

——デビルークの王女ララをたらしこみ、デビルーク星乗っ取りを企《くわだ》てる悪いやつ、地球人の結城リトを殺せ。

リトの存在を邪魔《じゃま》に思う、ララの求婚者からの依頼だった。

ヤミはやがて偽《にせ》情報に踊らされていたことを知り、依頼を白紙に戻す。

だが、ヤミは暗殺依頼そのものがなくなった今も、地球にとどまり続けている。金色の闇は、一度受けた仕事を途中で投げだすことはない、などと屁理屈《へりくつ》を言って。それは、自分でもよくわからない感情だった。

「でも、ヤミは美柑の友達だろ。ララもヤミが好きだしな」

リトはのほほんとした口調で答えた。

「気の抜ける回答ですね」

「ほんというと、タイヤキ以外のものが食べたくなってきたんだよなー。なんか口の中が甘くてさー。……なあ、ヤミ、なんであのタイヤキ、あんな味なんだ？」

「それがわからないから困っているのです」

「美柑って料理を残すと怒るしな」

いい匂いが漂《ただよ》ってきた。

公園の前に止まった屋台から、タイヤキの香《こう》ばしい匂いが風に乗ってやってくる。

「おじさん、二個ちょうだいっ」

「おいしいっ」

「私もひとつください」

「わー、皮がカリカリ。あんこも甘くっておいしい〜っ」

帰宅途中の女子高生たちが群《むら》がって、競《きそ》いあうようにしてタイヤキを買っている。

ひとめでカタギではないとわかる、顔にキズのある怖《こわ》そうなおじさんが、ぶっきらぼうに応対している。

ヤミは足を止めた。

屋台をじっと眺《なが》めていると、リトが不思議そうに問いかけた。

「買うのか？　タイヤキは家にいっぱいあるぞ。……おいしくないのが……」

「いえ、私、あの方たちに、タイヤキの作り方、聞いてきます」

「うわっ、や、やめてくれっ」

「どうしてですか？」

「そういうのは企業秘密だろ。教えてくれるわけないじゃないか」

ヤミは黙りこんだ。

「エラッソマさんは、あのおじさんの商売敵《がたき》だろ」

「商売敵になってませんが……」

「とにかく、刺激しないほうがいいよ」

「……その通りかもしれません」

だが、そうなると……。

「頼りは美柑だけですね」

ヤミはキュッと唇《くちびる》をかむと、帰路を急いだ。

リトとの距離が開いていく。

「ヤミ、なんでそんなに熱くなってるんだ？　美柑もだけど、熱くなりすぎると、何が悪いのかわからなくなるぞ」

リトがヤミの背中に声をかけるが、ヤミは足を止めなかった。

☆

「なんでおいしくできないのかなぁ……」

美柑は腕組みをして考えこんでいた。

「屋台が原因なのでしょうか？」

流し台の前に立ち、ボウルや泡立て器を洗っているヤミが聞いた。エプロンをつけているので、黒のミニドレスが隠れてしまい、より愛らしい雰囲気になっている。

「屋台は地球製だって聞いたけどなぁ」

おいしくない原因が、屋台の道具そのものにあるとすれば、美柑にはお手上げだ。

ヤミが手をタオルで拭《ふ》きながら、不安そうな顔をした。

眉根《まゆね》を寄せただけで、表情の変化は少しだけだが、友達が何を考えているか、美柑にはわかる。

美柑は、ヤミに笑いかけた。

「だいじょうぶだよ。そんな心配しないで。いろいろやってみるよ。私にまかせて」

「ねえねえ、私、やってみていい？　エプロン借りるねー」

ララが、ヤミが外《はず》したエプロンをつけながら言った。

「プリンセス……」

「ララさんの料理かぁ。なんか怖《こわ》いなぁ……」

「やだなぁ。二人とも。私、料理、好きなんだよーっ」

ララが明るく言い切った。

ララに料理をまかせるのはいかにも不安だ。だが、ほかに手はないのだし、ララは美柑の作る料理をおいしがって食べてくれる。

「お願いね。ララさん」

美柑はララに場所を譲《ゆず》った。

ララは冷蔵庫から卵を取りだし、流し台の角に打ちつけてボウルに割り入れる。

「ふふふーんっ」

機嫌《きげん》よくハミングしながらシャカシャカと泡立て器をふるうララの後ろで、ヤミと小声でおしゃべりする。

——ね？　ヤミさん。いま、ララさん、七味唐辛子《しちみとうがらし》入れたよね？

——はい。あ、プリンセス、いま、マスタードを入れましたよ。

「ララさん。それ、何味？」

「スーパーハバネロ味だよーっ」

ハバネロは激辛《げきから》唐辛子だ。

——だいじょうぶでしょうか？

——だいじょうぶじゃないよー。

「はーい。できたよーっ。こっちが皮で、こっちがあんこ。ねー、おいしそうでしょーっ!?」

ボウルを渡されたヤミがわずかに顔をひきつらせ、美柑がげんなりした顔をした。

本来なら淡《あわ》いクリーム色の皮は唐辛子で真っ赤に染《そ》まり、あんこはからしをたっぷり利《き》かされ、黄色みがかっていたのである。

「ヤミさん……焼いてもらってきてくれるかな……？」

「はい……」

しぶしぶという感じで、ヤミが外の屋台に持っていく。

やがてできたてのタイヤキを持って戻ってきた。

「できました」

量を少なくするように念を押したおかげで、お皿にのっているタイヤキは二匹だけだ。

唐辛子をタップリ利かせた皮は、綺麗《きれい》な赤に染まっていて、見るからに辛《から》そうだ。

「ありがとーっ。うわーっ。おいしーっ。ほっぺた落ちるぅーっ」

ララが幸せそうに笑《え》み崩《くず》れながら、タイヤキを食べている。

美柑とヤミは顔を見あわせる。

「おーっ。うまそうだなーっ。赤タイヤキだなーっ」

いつの間にか入ってきたリトが、タイヤキをひょいと持ちあげた。

「リトッ！」

美柑が止める間もあらばこそ、ぱくりとかぶりつく。

「うぉーっ」

リトは喉《のど》を押さえて目を白黒させている。あまりに辛すぎてじっとしていられないらしく、バタバタとその場で足踏みをしている。

「か、辛いっ。辛いぞーっ。み、水ーっ」

「はい」

美柑は、コップに水を汲《く》んでリトに渡した。

「もうリト、オーバーなんだから！」

ララが満足そうな顔で小首をかしげた。

水を飲み干したリトが、はーっとため息をつく。

たい焼

「やべえ、言い忘れるところだった……。さっき、屋台の横を通りかかったときに気がついたんだけど、あのおじさん、なんかやけに匂《にお》いの強い油を鉄板に引いてたぞ」

「えっ？　油？」

「生臭《なまぐさ》いっていうか、ヘンな匂いなんだ」

「えええっ、も、もしかしてっ!?」

油なんて盲点《もうてん》だった。

だが、タネもあんもおいしくて、焼き加減もちょうどいいのに、焼きあがるとマズイなんて、なるほど油が原因だとしか思えない。

——私のバカバカ、どうして思いつかなかったの!?

美柑は家を飛びだした。

冬の強い風が、屋台の匂いを運んでくる。

どこか生臭い、違和感のある匂い。いままで気に留《と》めなかったが、なるほど油の匂いだった。

ヤミが追いかけてくる。

「おー、姉さんっ。どうした？」

「お姉ちゃんどうしたの？」

屋台の手入れをしているエラッソマと、お父さんのお手伝いをしているコマッソマが、のんびりした口調で聞いた。

「エラッソマさん、油見せてっ!!」

「んっ？　これだが」

ペットボトル入りの油だった。魚の絵と見慣《みな》れない文字が入っている。たぶん、ワルギス星の文字なのだろう。

美柑はこわごわと受け取り、ボトルを揺すった。

とろりとした液体がたぷたぷと揺れる感じは、たしかに油だ。

フタを外し、匂いを嗅《か》ぐ。

あの、銀河駄菓子《だがし》味タイヤキの匂いがした。

「エラッソマさん。タイヤキ、これで焼いてた？」

「ああそうだ。ワルギス星特製食用オイルだ。宇宙クジラの脂《あぶら》を使っていて、高級品なんだ。香りがいいだろ」

エラッソマが鼻息も荒く言う。

「生臭いのはこれが原因だったんだ!!　これ、タイヤキには使わないで。このオイルは、エラッソマさんが家で料理するときに使うんだよ」

美柑は、エラッソマにオイルボトルを押しつけた。

「ちょっと待ってね」

家の中にとって返し、キッチンの流し台の下からサラダ油のボトルを取りだす。

美柑のあとをついて歩いているヤミが聞いた。

「美柑、手伝えることありますか?」

「あるっ。これ、屋台に持っていって」

美柑は、サラダ油をヤミに押しつけると、洗面所から霧吹《きりふ》きを持ってきた。

そして棚《たな》を探る。キッチンペーパーはすぐに見つかったが、軍手《ぐんて》が見つからない。血相《けっそう》を変えている妹を心配して、リトが聞いた。

「どうしたんだ? 美柑?」

「軍手ってどこだっけ?」

「えっと、たしか、引き出しのこのへんに……ほらあった」

「ありがとうっ」

「何か手伝えることないか?」

「そうね。熱くなりそうだから、一緒に来て」

「タイヤキのヘンな味は、エラッソマさんが使っていたワルギス星特製オイルが原因だと思うんだよね」

☆

美柑は屋台のタイヤキ用鉄板に霧吹《きりふ》きをシュウシュウした。

ガスは切っているものの、余熱で水分が蒸発し、白い湯気がたちのぼった。

鉄板に染《し》みついていた独特の匂《にお》いが、ムワッと漂《ただよ》う。

「うっ、やっぱり、匂うね」

「うわ、なんだこれっ。すごい匂いじゃないかよ」

地球人の兄妹《きょうだい》が腕を顔の前に当てて逃げ腰モードになるのとはうらはらに、異星人たちはうっとりした顔で目を細めていた。

「おいしそうな匂いだー。懐《なつ》かしいな」

「お父さん、いい匂いだね」

「ああ、やっぱり、ワルギス星特製オイルは最高だ」

ララがはしゃぎ、コマッソマがよだれをたらさんばかりの口調でいい、エラッソマが鼻息も荒く胸を張る。

味覚と嗅覚《きゅうかく》が地球人に近いヤミは、わずかに顔をしかめている。

「リト、お願い」

両手に軍手《ぐんて》をはめ、鼻を洗濯ばさみでとめたリトが、難手術に挑《いど》む医者のような表情で、鉄板ににじり寄った。

「これを拭《ふ》けばいいんだな」

「そうなの、油分を完璧《かんぺき》に拭《ぬぐ》い取ってほしいの。熱いから気をつけてね」

「わかった。あちっ、あちちっ」

軍手をはめているとはいえ、熱い鉄板の油を拭き取るのは大変だ。リトは顔をしかめながら、キッチンペーパーと軍手でタイヤキ型と格闘する。

「リト、やっぱり、冷《さ》めてからにしようか？」

「鉄板が冷めてしまうと油が拭き取れない、って言ったのは美柑だろ。こんなでかいの、洗えないんだし、拭くしかないんだろ。熱いぐらい我慢するよ」

「リト、たまにはいいとこあるじゃん」

美柑は、小学生らしくないしっかりした口調で言った。それが他人には、ナマイキに見えるなんて、本人は気づかない。

高校生なのに、いつまでも子供っぽい兄だが、こういうときのリトはカッコイイ。

キッチンペーパーをありったけ使って、鉄板を拭ったリトが、汗まみれのおでこを軍手をはめた手の甲で拭いた。

「もういいかな？」

「そうね。リト。ありがとう。……エラッソマさん。これ、地球の油でサラダ油っていうんですが、これでタイヤキを焼いてもらえませんか？」

「ああ、わかった」

エラッソマがタイヤキを焼く様子《ようす》を、リトに美柑、ララにヤミ、それにコマッソマが息を詰《つ》めて見ている。

油を引き、タネをミルクパンのような口付きの鍋《なべ》でタイヤキ型に流しこみ、焼けてぷつぷつしてきたら、割った竹に入れたクリームをヘラで取ってまんなかに入れていく。

養殖《ようしょく》タイプのタイヤキ型なので、チーズとチョコ、クリームと粒《つぶ》あんが四種類一気に焼けてしまう。

周囲がチリチリと焼きあがりはじめたころを見計《みはか》らい、パタッと景気のいい音をたててフタを閉める。

そして取っ手を動かして左右に回し、両面がこんがりと焼きあがるように調節する。

「うーっ、なんかドキドキするねー」

美柑が手に汗を握《にぎ》っている。

ふわぁんっといい香りが漂ってきた。

エラッソマがタイヤキ型をパカッと開いた。

いい感じに焦《こ》げ目《め》がついたタイヤキが等間隔《とうかんかく》に並んでいた。

誰からともなく、わぁ、と声があがった。

エラッソマが軍手をはめた手でタイヤキを取り、袋に入れて美柑とヤミに手渡す。

「どうぞ」

「ありがとう」

ひとくち食べた美柑は目を見張った。

「おいしい……」

いままでのタイヤキと違い、生臭《なまぐさ》さや舌に残る苦《にが》さがない。皮がカリカリで中がシットリ。甘くてトロトロのチョコクリームが劇的にからみあい、皮のおいしさを引き立てている。

美柑の好みで、甘すぎないタイヤキだが、それだけに素材のおいしさがよくわかる。

ヤミも目を細めてタイヤキを食べている。

美柑はたちまち一匹を平らげた。

「ああ、おいしかった。もうひとついいかな?」

「ああ、いいぜ。姉さん、いくらでも食べてくれっ。ピンクの髪の姉さんも、そこの兄さんも。コマッソマも食べろっ」

エラッソマは、美柑とヤミ、ララとリト、自分の息子《むすこ》にもタイヤキを手渡す。

みながいっせいにぱくついた。

「チーズだー!」

「ララはチーズかぁ。オレのはあんこだけど、おいしいな」

「私の、またチョコだった。リト、交換して」

「姉さん。いっぱい作るから、どんどん食べてくんなっ」

エラッソマが鼻息も荒く胸を張った。

「お父さん、これ、おいしい。ボクたちが作ったのとぜんぜん違う味だけど、すごくおいしいんだ」

「そ、そうなのか。息子よ」

エラッソマがおそるおそる、という感じで、タイヤキを食べはじめた。

地球人に、銀河駄菓子《だがし》味のタイヤキはまずく感じられるように、異星人には地球味タイヤキは、不気味に思えるのだろう。こわごわと咀嚼《そしゃく》し、目をつぶる。

「うまい……。味はぜんぜん違うが、これはこれでアリだと思う」

エラッソマはグルメレポーターのようにうなった。

「やった。成功じゃないかっ!!」

リトが美柑の背中を叩いた。

「美柑、ありがとう」

ヤミが平坦《へいたん》な口調でお礼を言った。ほんの少し眉《まゆ》があがっていて、タイヤキがしみじみとおいしかったこと、喜んでくれていることが伝わってくる。

美柑は照れて頬《ほお》を掻《か》いた。

「じゃ、レシピ、教えるね。エラッソマさん、メモ取ってほしいんだ」

美柑はエラッソマにレシピの説明をはじめた。

「小麦粉三百グラム、水三百cc。あ、この単位、地球のだから、コップで一杯半って覚えてほしいんだ……」

タネだけではなく、チーズとカスタードとチョコの三種類のクリームの作り方と、小豆《あずき》の煮方《にかた》を説明しなくてはならないので大変だ。

エラッソマは真剣な表情でメモを取っている。

美柑のアドバイスを一言《ひとこと》も聞き漏《も》らしてはならないとばかりに前のめりになっていた。

「鍋の底をこすりながら弱火でゆっくり火にかけて、クリームを練《ね》りあげていく、か。火加減が強いとなめらかなクリーム状にならないんだな。練習が必要だな。家に帰ってから試してみるよ」

「そうだね。わからないことがあったら何でも聞いて」

「そうだな。姉さん。あとはオレたちでやってみるよ。ありがとう」

「どういたしまして」

美柑は安堵《あんど》の笑顔を浮かべた。

肩の荷が下りた気分だ。

「お父さん、これでお母さんの薬代の心配をしなくていいね」

「ああっ。おまえも、小学校に行かせてやることができるな」

「もうなんの心配もいらないんだっ。ぐすっ、僕、うれしいよ」

「息子よーっ」

「お父さーんっ」

異星人親子ががばっと抱きあった。

おいおいと泣きむせぶ。

半魚人に戻っている。

美柑は苦笑しながらずりずりと後ずさった。

ヤミは感涙《かんるい》にむせぶ異星人親子を見て、不安を覚えていた。

ほんとうに何の心配もないのだろうか。

寒い日にタイヤキの屋台があれば、つい購入《こうにゅう》してしまう。

だが、一度、おいしくないタイヤキを食べてしまうと、その屋台では買わない。少なくともヤミはそうだ。地球人も同じではないだろうか。

ヤミはずいっと進みでて、エラッソマに向かいあった。

「待ってください。大事なことが残っています」

「大事なこと？」

「販売促進《そくしん》です」

リトが左手のひらに、右手の握《にぎ》り拳《こぶし》をぽんと打ちつけた。

「そっか、CMしなきゃ売れないよな」

ヤミの目的は、異星人親子においしいタイヤキを作ってもらうだけではない。タイヤキを地球人に売って、生活の糧《かて》を手に入れてもらうことだ。売れ行きをよくするところまで手伝いたい。

「お父さん、地球人のみなさんに試食してもらう、っていうのはどうかなぁ？」

コマッソマが言った。

「お代は食べてからのお帰りだー。いいなぁ、それっ」

「お金がかかりますね」

ヤミはすぐさま却下《きゃっか》した。

「彩南《さいなん》高校にポスターを貼《は》ってみたらどうだ？」

「それはダメです。結城リト」

「値引き作戦～っ」

「プリンセス、それもダメです」

次々に却下していく。

「でも、食べてもらうのがいちばんだし、値引き作戦いいんじゃないか」

「ですが、それではもうかりませんよ」

侃々諤々《かんかんがくがく》の騒ぎになった。

美柑が肩をすくませて首を振った。私の出る幕はないね、と言っているような、ナマイキな仕草《しぐさ》だ。

「私、晩ご飯を作るね」

「だいじょうぶか。ずっとキッチンに立ってるだろ。疲れてないか。オレが作ろうか」

「だいじょうぶだって」

美柑は、目を細めると、何を言っているのよ、とばかりにフッと息を吐《は》いた。

「ずっとタイヤキだったから、辛《から》いものが食べたかったんだよね。カレーは煮込《にこ》む時間ないし、フライパンで肉を焼こうかな。ニンニクをガッツリ効《き》かせてやりたい気分だよ」

ひとりごちながら、家の中へと戻っていく。

やがて、キッチンから、お肉を焼くいい匂いが漂ってきた。

焦《こ》げたニンニクとバターとおしょうゆの、香《こう》ばしい匂い。

食欲をそそる香りだった。

「うまそうだな……」

「ほんとだー」

リトが言い、ララが同意する。

「あー、いい匂いーっ。お肉焼く匂いって最高だねーっ。……あ、そうだ、私、お皿を並べてくるね。美柑の手伝いしなきゃ」

庶民的なプリンセスは、軽い足どりで家の中に入っていく。

——匂い……。そうだ!!

ヤミは顔をあげた。

「結城リト。小腹《こばら》が減った状態で、ちょっと疲れていて、ほっとしている地球人がたくさんいる場所、ってどこでしょうか？」

「うーん。どこだろう」

リトが首をひねり、エラッソマが口をはさむ。

「だったら、夕方五時半の官庁街《かんちょうがい》だな。役場から駅までの道は、仕事帰りの公務員がいっぱいだぜ」

「では、明日、五時半に官庁の前に行きましょう。エラッソマ、タイヤキの材料を大目に用意してください」

「どうするんだ？」

「匂い作戦です」

☆

美柑はマフラーを巻き直した。

寒い日で、空気がしんしんと冷えていた。冷蔵庫の中にいる気分になる。

「お客、こないね」

美柑は、目の前を通りすぎていく大人《おとな》たちを見ながら、ため息をついた。

夕方五時半の官庁街《かんちょうがい》は、三々五々帰宅していく公務員で人の波ができている。長い影を従えた大人たちを、オレンジ色の夕陽《ゆうひ》がおだやかな色に染《そ》めていた。

夕暮れの風が小雪と枯れ葉を巻きあげる官庁街の一角で、エラッソマは屋台を止め、タイヤキを焼いていた。美柑はその横に立ち、うちわをパタパタ動かしている。

「タイヤキを買うのは、小腹《こばら》が減った状態で、少し疲れていて、ほっとしている地球人だと思ったのです」

同じようにうちわを動かしているヤミが答える。

「いい考えだと思うぜ。だって、疲れているときって、甘いものを食べたくなるからな」

リトもうちわを動かしながら答える。

コマッソマがいつもは隠している胸鰭《むなびれ》を出して、タイヤキをパタパタし、甘い匂《にお》いをふりまく。

――一個も売れなかったらどうしよう?

――ううん。売れるはずだよ。だってこんなにいい匂いなんだもんっ。おいしいし!!

「クリームタイヤキいかがですかーっ」

美柑は思い切って声をあげた。

「チーズクリームタイヤキもあります」

ヤミがぶっきらぼうに呼びこみをする。

リトも声をあげた。

「タイヤキ、焼きたてですよーっ。おいしいですよーっ」

「あんこも、チョコも、クリームもありますよーっ」

コマッソマもかわいい声をあげる。

「あら、チョコの香りがする」

OL風の女性が、買おうかどうしようかというように足を止めた。

エラッソマが愛想良《あいそうよ》く応対する。

「チョコタイヤキ一個百円ですよ」

「へえ、チョコタイヤキなんてあるの。ひとつちょうだい」

「ありがとうございます」

――わっ。売れたっ。一個目が売れたよ。

美柑は内心で小躍《こおど》りした。タイヤキを食べる女性を、ドキドキしながら盗み見る。

「わっ。おいしいっ。ちょうどいい甘さだわ。こんなにおいしいの、はじめて食べたわ」

美柑は笑《え》み崩《くず》れた。ちゃんと甘いけど甘すぎないタイヤキは、美柑の苦心のたまものだ。

「あったかい。身体《からだ》がほかほかしてくるわ」

「できたてですからねー」

これで弾《はず》みがついたかのように、屋台のまわりに人垣《ひとがき》ができた。大半は女性だ。

「あんこのタイヤキ、ひとつください」

「ありがとうございます。百円です」

「私はカスタードクリームとクリームチーズ」

「あら、おいしい。おみやげに持って帰るから五つ買うわね」

ひとつめが売れるまでやたらと時間がかかったのに、ひとつ売れるとあとはすぐだった。切れ目なく通りすぎる人たちが、足を止めてタイヤキを買いもとめ、食べながら歩いていく。

エラッソマは一生懸命タイヤキを焼き、美柑とリトが応対し、コマッソマがうろちょろして、お客が落とした紙袋を回収する。

「はわっ。リトさんじゃないですかぁ～!?　ヤミさんも、美柑さんも……。何をしているんですか？」

ピンクのナース服を着た、黒髪の少女が足を止め、声をかけた。

「お静《しず》ちゃんこそ、何をしているの？」

「私は御門《みかど》先生のお使いですぅーっ。あぁ、いい匂いー」

彼女は、深呼吸しながらも、脇《わき》に抱《かか》えている大判の茶封筒を目の高さに掲《かか》げた。

ナースキャップの似合うこの少女は村雨静《むらさめしず》。お静ちゃんと愛称で呼ばれている。

彩南高校の生徒だが、放課後はドクター御門の診療所で住みこみのナースをしている。

実は旧校舎にいた幽霊で、御門先生の作った人工体《バイオロイド》に憑依《ひょうい》して動かしている。

いろいろワケアリの女の子だ。

「タイヤキを売ってるんだよ」

「お静ちゃんもタイヤキをどう？」

リトが言い、美柑がタイヤキを勧《すす》める。

ヤミは目で挨拶《あいさつ》しただけだ。

「はぅっ。鯛《たい》を焼いてるんですよねー？　お菓子の匂いがするお魚って珍しいですぅーっ」

お静は不思議そうに目を見張った。

「お菓子です」

「鯛の形のホットケーキみたいなぱりぱりの皮に、あんことかチョコとかの具を入れてるんだ。クリームチーズとカスタードクリームもあるよ」

ヤミが冷静に答え、リトが説明する。

「鯛せんべいですかぁ？　ひとついただきますぅーっ」

お静は渡されたタイヤキを不思議そうに見ている。

「やわらかいですねー。ぺたんこではないですしーっ？」

「食べてみてよ。おいしいよ」

美柑が笑いかけると、お静はこわごわとかぶりついた。怖《こわ》そうにしかめられていた顔が、たちまちのうちに笑顔になる。

「むぅ〜。お、おいしいぃ〜っ。こ、こんなおいしいお菓子、私の生きていたころにはありませんでしたぁ〜っ。あと二つ。い、いえ、あと四ついただきますぅーっ。私はあんこで、御門先生にはチョコにします。二個ずつお願いしますぅー」

「四百円になります」

「うわ。ぬくぬくっ。早く帰って御門先生とお茶しますね!!」

お静はタイヤキ入りの紙袋を抱えると、スキップするような足どりで帰っていった。

小一時間もすると、用意してきた材料はすべてなくなり、タイヤキ屋は閉店時間を迎えた。

「やったぁっ!!」

「すごいな。美柑っ。がんばったなー」

「美柑、ありがとう」

「一年分のタイヤキが一時間で売れたぜ。姉さんのおかげだ。ありがとうっ」

エラッソマは屋台の土台を押さえていた重りの水を捨てると、てきぱきと屋台を畳《たた》んだ。

たったの十分ほどで、さっきまで小さな店舗《てんぽ》だった屋台がリヤカーに変わる。

エラッソマは、リヤカーを引いて元来た道を戻りはじめた。コマッソマが後ろから押していく。

リヤカーはかなり重いはずなのに、タイヤキが売れたせいだろう。お魚親子の足どりは軽い。

「これでもうだいじょうぶですね」

ヤミがほっとした口調で言った。

「エラッソマさん。お礼言うなら私だけじゃなくヤ……」

――ヤミさんにも言ってね。

と言いかけたところで美柑は約束を思いだし、言葉を呑《の》みこむ。

ヤミは、自分が金色《こんじき》の闇《やみ》であることを、彼らに言わないでほしいと念を押した。

「そうだよ。エラッソマさん。ヤミにもお礼を言ってほしいな」

リトが言った瞬間、うれしい空気がパキンと凍《こお》りついた。

エラッソマが屋台を止めた。

川べりの、車の通りの少ない道だ。真冬の河原の荒れ果てた光景が広がっている。

美柑が口に手を当ててリトを見る。

「え？　ヤミって？　まさか姉さん……こ、金色の闇……？」

「お父さん、まさかそんなこと……ち、違うよ、ね？」

エラッソマとコマッソマがとまどって顔を見あわせた。

「こんないい人が、金色の闇のわけ……ないだろう……？」

ヤミは唇《くちびる》をかんで顔を伏《ふ》せている。

「え？　オレ、なんかマズイこと言ったんだ？　ご、ごめん……」

リトがようやく失言に気づき、謝《あやま》った。

「私は……」

ヤミが何か言いかけたときのことだった。

「おまえら」

背後から声がかかった。

肩で風を切りながら、コワモテの男たちが歩いてくる。

顔にキズのある中年男性に、冬なのにアロハシャツのサングラス男、プロレスラーを思わせる恰幅《かっぷく》のいい男性。

三人の全身から、暴力の気配が色濃《いろこ》く漂《ただよ》っていた。

ときどき見かける、別のタイヤキ屋台を引いている男たちだ。エラッソマの商売敵《がたき》。

「商売繁盛《はんじょう》でけっこうだな」

大柄《おおがら》な男は、口調に迫力をにじませて言った。ドスの利《き》いた話し方、というのは、こういうのを言うのだろう。

コマッソマが怖そうに父の後ろに隠れた。

リトが険《けわ》しい表情を浮かべながら美柑の前に回りこみ、背中でかばう。

ヤミだけが、無表情で、ぼんやりと立っていた。

「このへん一帯は、俺たちのナワバリだって知っていたか?」

「いままでは売れてないみたいだから見逃《みのが》してやってたが、こうなったら話は別だ。でもまあ、それもこれも、おまえら次第《しだい》だけどな」

「ど、どうすれば?」

エラッソマがおそるおそる聞いた。

「こっちにも回してくれ、ってことだよ」

「所場代《ショバだい》だ」

ワルギス星人のエラッソマの辞書には、ナワバリとか所場代という言葉はないのだろう。

困り果てた様子《ようす》できょろきょろしている。

「今日の売上げを出せば許してやる」

キズの男の手が、エラッソマが首から下げている薄汚れたカバンに伸びた。

「だめだっ。これは、妻の薬代と、息子《むすこ》の進学費用なんだっ!!」

エラッソマが一瞬だけ半魚人に戻り、尖《とが》った口からピュッと水を噴《ふ》きあげた。

「ええっ？　エラッソマさん、なんてことするのっ」

美柑がびっくりして声をあげた。

ワルギス星人が驚いたときの特徴的な行為なんて、地球人にはわからない。

「うわっ、な、なんだこれっ」

男たちの血相《けっそう》が変わった。

彼らははじめ、脅《おど》すだけのつもりだったのだろう。

だが、脅迫対象が唾《つば》を吐《は》きかけたことで、引っこみがつかなくなった。

「やりやがったなっ。おまえらっ」

サングラス男が屋台を蹴《け》った。中の鉄板が揺すられて、がちゃんと派手な音がする。

「二度と商売できないようにしてやるっ!!」

三人がかりでゲシゲシと蹴りまくる。

「うわーっ。やめてくれーっ。屋台を壊さないでくれっ!」

「ああ、そうさ。屋台を壊してやるんだよっ」

「お父さんーっ。怖いよっ」

「やめろっ!!」

リトが拳《こぶし》を振りあげて向かっていった。リトにはこういう、向こう見ずなところがある。いつもは頼りないくせに、家族や友達に何かあると、自分の安全も省《かえり》みず、飛びだしてしまうのだ。

「やめてぇっ」

美柑が叫ぶ。

ヤミが顔をあげた。

その顔から表情が消え失《う》せ、瞳《ひとみ》がとぎたての刃物のように鋭利《えいり》に光る。

美柑ははっと息を呑んだ。

そこにいるのは、友達のヤミではなかった。

宇宙を駆ける冷徹《れいてつ》な殺し屋。

全身凶器《きょうき》。

金色の闇!!

「変身《トランス》!」

ヤミが叫ぶ。

体内のナノマシンが発動する。

その瞬間、ヤミの腕はハンマーに変化し、豪華な金髪は生あるもののようにうごめいて、握《にぎ》り拳《こぶし》の形を作った。

不穏《ふおん》な空気を感じたのだろう。

男たちは、警戒心をあらわにして後ずさる。

腕のハンマーと髪でできた握り拳は、男たちの顎《あご》と鳩尾《みぞおち》を的確に狙《ねら》い、同時攻撃を仕掛けていく。

美柑の目には、金色《きんいろ》の軌跡《きせき》が流れたのが見えただけだ。

「ぎゃあっ」

「ぐえっ」

「うぅっ」

勝負は一瞬でついた。

急所を打たれて失神した男たちが、道ばたに転がった。

静寂《せいじゃく》が訪れた。

風がひゅうっと音をたてて吹き渡る。

ヤミの髪は元に戻っていて、しなやかな金髪が風に揺れる。

「金色の闇……」

エラッソマがつぶやいた。

「お父さん、こ、怖いよ……」

コマッソマが父にしがみつく。ぶるぶると震えている。

「わあああああっ」

エラッソマは、リヤカーのタイヤをきしませながら、こけつまろびつしながら逃げていった。

ガラガラという音が遠ざかっていく。

☆

ヤミは、小さくなっていくリヤカーをじっと見ていた。

こうなることはわかっていた。

荒涼《こうりょう》とした宇宙で、果てがないほどの長い時間を、ひとりで過ごしてきた。

孤独には馴《な》れている。

恨《うら》まれることにも馴れた。

似たようなことは何度もあった。

だから、こんなこと、なんでもない。

なんでもないのだ。

そう思う一方で、胸の奥がしんしんと冷《ひ》えていく。

プロレスラーのように体格のいい男が失神から覚め、よろよろと立ちあがった。サングラス男も気づいたらしく、身体《からだ》を起こそうとしてもがいている。

ヤミと、プロレスラーのような男の目があった。

威嚇《いかく》するつもりはなかったのだが、ヤミが真冬の湖のような瞳《ひとみ》で男を見ると、彼は怯《おび》えた子犬のようにぶるぶると震えだした。

「ひっ、ひぃっ」

「あの親子には手を出さないと約束してください。さもないと」

ヤミは静かな口調で言った。

かえって抑《おさ》えた迫力が滲《にじ》んでしまい、男たちが震えあがった。

「わ、わかった。わかったからっ！　うわぁあああっ」

サングラス男が先に逃げだした。

プロレスラーのような男は、顔にキズのある男を支《ささ》えて逃げていった。

ヤミは、表情がすっぽり抜け落ちた顔をして、肩を落として立っていた。

なんと今日は寒い日なのだろう。空はどんよりと曇《くも》り、いまにも雪が降りそうだ。

温かい小さな手が、ヤミの背中を軽く叩《たた》いた。美柑だった。

「ヤミさん。帰ろ。お腹《なか》減ったね。晩ご飯一緒に食べようよ！　ね!!」

「美柑……」

「私、おいしいの作っちゃうよーっ。今日は寒いから、鍋《なべ》とかすき焼きとか、焼き肉とかどうかな？　リトは何がいい？」

「焼き肉にしとこう。切って焼くだけだし、手間かからないから」

「あ、そうだ。イカとかタコとかあるんだ。それも焼いちゃおう」

「焼き肉っていうより鉄板焼きだなーっ」

「ヤミさん今日は泊まっていって。私と一緒にお風呂に入ろう！」

美柑が明るい口調でヤミを誘う。

「お世話になるわけには……」

「お世話しないよ。家事を手伝ってもらうから。お茶碗《ちゃわん》洗ってもらうからねっ。ベッドなんか用意しないよ。私と一緒のベッドで寝るんだから。狭《せま》いから覚悟してねー」

「そうだな、早く帰ろうぜ。ララが待ってる」

リトがポケットに手を入れ、寒そうに背中を丸めて歩いていく。

「行こ！　ヤミさん」

美柑がヤミの手をきゅっと握《にぎ》った。そして、ヤミをひっぱるようにしながら、軽い足どりで走りだした。

友達の手の温かさに、こわばっていた気持ちがやわらかくほどけていく。

――ああ、そうだ。そうだったんだ。

結城リトの暗殺依頼が白紙に戻ったとき、「一度受けた仕事を途中で投げだすのは主義に反する」などとおかしな理屈を言って、地球にとどまり続けた理由が、やっとわかった。

なぜそんなムダなことをするのか、自分でも不思議だったのだが、誠実なリトや元気で明るいララや、小学生のくせにしっかりしている美柑と一緒にいるのが楽しかったのだ。

彼らと一緒にいると、ひとりではないと実感できる。

地球にいれば、宇宙を駆ける殺し屋、金色《こんじき》の闇《やみ》ではなく、ただの異星人のヤミとして存在していられる。

それは果てしない長い時間を、たったひとりで生きてきたヤミがはじめて得た、おだやかな感情だった。

ヤミは、少しだけ笑った。

☆

翌日、ヤミがドアを開けると、ひんやりした外気が結城家に入ってきた。

外は一面の銀世界だった。

一晩のうちに雪が積もったらしく、何もかもが白の濃淡に塗《ぬ》りつぶされていた。

空は快晴でどこまでも青い。かなり冷《ひ》えるが、その寒さまでも心地よい。

「わーっ。すごーいっ。綺麗《きれい》ーっ」

美柑が歓声《かんせい》をあげている。

「気をつけてな」

「ヤミちゃん、ばいばいっ」

リトの吐《は》く息が白い。ララが明るく手を振った。

「ヤミさん。気をつけてね」

「ありがとう。美柑。結城リトも。プリンセスも」

お礼を言って、結城家を辞そうとしたときのことだった。

「きゃんっ」

走り寄ってきた子供が、こけそうになって悲鳴をあげた。

これだけ雪が積もってしまうと、足をとられてしまうのもムリはない。

「コマッソマ……？」

「お姉ちゃん……」

コマッソマは、ヤミをじっと見あげた。

手に花束《はなたば》と、湯気のたつ紙袋を持っている。

安物だがかわいらしい花束だった。

「これ……あげる……」

「……」

背伸びをして差しだしてくれる花束と紙袋を、腰を屈《かが》めて受け取った。

紙袋からは、チョコとあんことチーズとカスタードクリームの、甘い香りが漂《ただよ》っている。

「タイヤキですね」

「お姉ちゃん。ありがとう。それから……」

コマッソマは、利発そうな瞳《ひとみ》でじっとヤミを見あげた。ワルギス星人特有の黒い瞳に、おだやかな笑《え》みを浮かべた自分の顔が映っている。

「それから？」

「それから……ごめんなさいっ!!」

コマッソマはおじぎをした。

地球人的な挨拶《あいさつ》に、ヤミは顔をほころばせ、紙袋を抱《かか》え直した。

焼きたてのタイヤキに、胸の奥が温かくなってくる。

「ヤミさん」

背後から美柑が声をかけた。ほら、と耳元でささやいて指を差す。

塀《へい》の陰《かげ》に屋台が置かれていることに気がついた。

屋台を引いているのはエラッソマだ。感謝と謝罪が入《い》り交《ま》じった、複雑な表情を浮かべていた。

その横にいるコマッソマと顔立ちの似た中年女性は、病気だという妻だろうか。

エラッソマが帽子《ぼうし》を取って胸に抱いた。

ヤミに向かってふかぶかとおじぎをする。

中年女性も、コマッソマもおじぎをした。

言葉はなくとも、思いが伝わってくる挨拶だった。

この一家は、雪の積もった寒い朝に、ヤミが出てくるのをずっと待っていてくれたのだ。

感謝も謝罪もじゅうぶんだ。

イヤなことは雪と一緒に溶《と》かしてしまおう。

ヤミは薄く笑った。

「これは美柑に」

ヤミは、コマッソマからもらった花束を友達に差しだした。

美柑は花束を胸に抱き、花に顔を埋《う》めるような仕草《しぐさ》をした。

「綺麗だね……ありがとう……」

「では」

「ヤミさん。またね」

「気をつけろよ」

「気をつけてね」

リトとララの声を背中で聞きながら、結城家を出る。

「変身《トランス》」

ヤミは空に向かって飛びあがった。

風紀委員は悩ましい!?

古手川唯《こてがわゆい》は怒っていた。

——もうっ。もうっ。みんなイイカゲンなんだからっ‼

厳《きび》しい表情を浮かべ、足音も荒く廊下を歩く。

窓から吹きこむ風にしなやかな黒髪が揺れる。

肩を覆《おお》うまっすぐな黒髪も、お人形のように整《ととの》った容姿も愛らしいのに、唯には女子高生にありがちなふわふわしたところがなかった。

リボンタイも、彩南《さいなん》高校の女子生徒が好んでする、わっかをふわっとさせた結び方ではなく、カチッとした基準通りの結び方にしている。そのせいか、容姿のかわいらしさとはうらはらに、気詰《きづ》まりな優等生に見えてしまう。

——ああ、もう、いらいらするっ。なんで私がこんなに疲れなくちゃいけないのよっ‼

生徒の読みあげる、つたない英語のリーディングが、いらだちをつのらせる。音楽室から聞こえるコーラスに、体育館のバスケの歓声《かんせい》、授業時間の廊下はにぎやかだ。

——骨川《ほねかわ》先生も、自習にするなら、もっといっぱい課題を出してほしいのよねっ‼

先生が用意をしたプリントが、すぐに終わる量だったこともあり、自習時間の教室は、無法地帯と化していた。

籾岡里紗《もみおかりさ》と沢田未央《さわだみお》は、委員長の西連寺春菜《さいれんじはるな》のムネを揉《も》んで、キャッキャッウフフと大騒ぎをしているし、女子生徒のスカート丈《たけ》は短いし、猿山《さるやま》ケンイチはエッチな雑誌を持ちこんで、結城《ゆうき》リトを巻きこんでお猿のように騒いでいる。

「もう、あなたたち、勉強しなさいっ!! うるさいわっ」

「猿山くんっ、雑誌は持ちこみ禁止っ!! 没収よっ! って何これ!!」

「籾岡さんっ。なんであなたリボンタイを結ばないのっ!? 襟《えり》のボタン、ちゃんと上までとめなさいっ。制服の前もとめなさいっ。だらしないわっ!」

「西連寺さん、委員長なんだからしっかりしてっ。一緒になって騒いじゃダメでしょっ!!」

「沢田さんっ、スカート丈が短すぎるわっ!!」

唯は風紀委員だ。風紀が乱れることは許せない。

男子生徒から本を取りあげ、女子生徒のスカート丈を定規《じょうぎ》で測《はか》り、ぷんすかと怒りまくる。

「静かにしてよねっ!! 今は授業中よっ。非常識なんだからっ」

だが、唯がどれほど注意をしようとも、静まるのは一瞬だけで、すぐに耳が痛くなるほどうるさくなる。

怒ると疲れる。

疲れると、頭が痛くなってくる。

げっそりしているのは唯だけで、雑談に興《きょう》じているクラスメートは元気そのものだ。それがよけいに腹立たしい。

唯は額《ひたい》にアオスジをたてながら、自習とは名ばかりで、喧噪《けんそう》の中にある教室をあとにした。


保健室のドアを開ける。

「御門《みかど》先生」

白衣の背中に声をかける。

御門涼子《りょうこ》先生。我《わ》が校が誇る美人校医で、宇宙人のドクターだ。

「どうしたの?」

先生は振り向かずに聞いた。

校医の向かいあう席に、体操服のままの生徒がいる。白衣に隠れてよく見えないが、膝《ひざ》の治療をしているらしい。消毒薬の匂《にお》いが鮮明《せんめい》に漂《ただよ》ってきた。

「古手川ですが、何か薬いただけませんか。頭が痛いんです」

「あらあら、古手川さんが頭痛なんて珍しいわね。何かあったのかしら」

「えっと、ちょっと疲れてて」

「そう、だったら、頭痛薬よりサプリメントのほうがよさそうね。ちょうどいいのがあるわ。元気の出るサプリメントを出すわね。……動かないでっ!!」

最後の一言《ひとこと》は、治療中の生徒に向けて言った言葉だ。

「で、でも、先生、しょ、消毒薬が染《し》みて、痛くて」

「我慢なさいな」

「うえっ、痛《い》てててっ」

「動くとよけい痛いわよ。包帯を巻くから動かないで」

いそがしそうな先生に遠慮して申しでる。

「自分で取ります」

「いちばん奥の薬品棚《だな》にあるわ。ごめんなさいね。今ちょっと手が放せなくて」

「いえ、だいじょうぶです」

先生の横を通りすぎ、保健室の奥に進む。

いくつもある薬品棚のいちばん奥をのぞきこむ。

整然と薬瓶《くすりびん》が並んでいる。

これだけの数の中からサプリメントを見つけるのは大変そうだ。

——あれっ。

ネコの置き物が、薬棚のいちばん端《はし》に置いてあった。

思わず手に取ってしまう。

つるつるの材質は、プラスチックでもなければ陶器でもなかった。

——あらら軽いわ。なんでできているのかしら？

おすましをした黒ネコの貯金箱だった。つんと顎《あご》をあげた後頭部、巻きあがったしっぽの先端のところに、コインを入れるための穴が空《あ》いている。しかも、耳が長くて先端がくるくるしている。

——わ、かわいいっ。これ、宇宙のネコかしら？

唯はネコに目がない。生きているネコも好きだし、ネコグッズも好きだ。

不細工《ぶさいく》な顔をした野良ネコがにゃあああんっと鳴きながら塀《へい》の上を歩いているのを見るだけで、相好《そうごう》が崩《くず》れてしまう。

生きたネコをモフモフできようものなら、うれしくてうれしくてにまにまが止まらない。

珍しいネコグッズにワクワクする。

ネコ貯金箱の奥から、「オキワナ星滋養強壮剤《じようきようそうざい》」とラベルのある黒い薬瓶が出てきた。

元気の出るサプリメントってこれかな?

唯はネコグッズを戻し、薬瓶を手に取った。

「サプリメントがありました」

「三錠《じよう》飲んでね。頭痛もましになるはずよ。すぐに効《き》くわ」

「いただきます。ありがとうございます」

フタを取り、薬瓶を傾けて真っ黒な錠剤を手のひらに取る。

保健室の流し台で備《そな》えつけのコップに水を汲《く》み、サプリメントを飲《の》み干《ほ》した。

唯はもう少し考えるべきだったのだ。

なぜこの薬瓶が、薬棚のいちばん隅《すみ》、貯金箱の陰《かげ》に、ひっそりと隠すようにして置いてあったのか。

御門先生はサプリメントと言ったのに、なぜこの薬瓶のラベルが「滋養強壮剤」なのか。

まさかこれが、とんでもない副作用を引き起こすなんて、唯には知る術《すべ》のないことだった。

☆

——あ、薬、効《き》いてきたみたいね……。

保健室から教室に戻るまでのわずかな時間に、お腹《なか》の奥が熱くなり、頭痛がスッとらくになった。

——御門先生の薬はよく効くわね。

教室に戻って席につこうとすると、西連寺春菜がおずおずと近づいてきた。おしとやかな委員長は、はにかんだ笑顔を浮かべて謝罪した。

「あのう、古手川さん。さっきはごめんね」

唯は、にっこり笑うと、明るく言った。

「ううん。いいのよ。気をつけてくれたらそれで」

春菜がきょとんとした顔をして、まじまじと唯を見る。

「えっ？　ええ？」

大きく見開いた瞳《ひとみ》に、不思議そうな色があった。

「あなたほんとうに古手川さん？」

未央が春菜と唯の間に割って入った。

「いやだ。私は私よ」

「そうかな？　古手川さんは、こういうとき、西連寺さんは委員長でしょっ。しっかりしてよねっ、ってそっぽ向くよね？」

「そうかしら」

「ほら、まっすぐ私を見て、にこって笑ってる」

——ほんとうだわ……。

指摘されてはじめて気づいたが、言葉が弾《はず》んでいた。しかも未央の目を見て、やわらかい笑《え》みを浮かべている。

目線をあわせると照れくさくなってしまうので、いつもなら視線を外《はず》してしまうのに、今日はいったいどうしたのだろう。

——なにかヘン。身体《からだ》が妙に熱いのよね……。

「熱でもあるんじゃないのーっ？」

里紗が胸をさわってきた。

お椀《わん》を伏《ふ》せたようなふくらみを、キュッキュッと揉《も》みしだかれると、ゾクゾクする戦慄《せんりつ》が背中を滑《すべ》りあがっていく。

「あンッ」

思いがけず、甘えた声が漏《も》れてしまった。

伸びあがって背中を反《そ》らせたポーズになるのが恥ずかしく、いやいやをする。さらさらの黒髪が揺れ、フローラルシャンプーの香りをふりまく。

「こ、古手川さん……」

春菜が圧倒されたように後ずさった。

――ほんとね。たしかにヘンだわ。私ってば、いったいどうしたっていうの!?

「里紗ぁーっ。どこで熱を測《はか》ってるのよーっ」

「ムネだよーっ。未央っ」

「ふふっ、私も参加しちゃうぞーっ」

里紗と未央がはしゃぎながら、さらに胸乳を揉んできた。

ぷにぷにした指が、やわらかな胸に食いこみ、ぷるぷると揉みしだく感触は、単純に気持ちがよかった。

揉まれるたびに形を変える白いふくらみから、きゅぅん……っ、と甘いときめきが襲《おそ》ってきて、身体の奥に染《し》みてくる。

唯は、ぶるっ、と背中をふるわせた。

「うーん。別に熱はないみたいですねー。里紗さん」

「お尻《しり》で熱を測ってみましょうかー。未央さん」

未央と里紗が、ふざけて声音《こわね》を変えながら、胸とお尻に取りついた。

スカートの中に手を突っこまれた。ひんやりした手が太腿《ふともも》の表面をなであげていく。お尻にタッチされたとき、ゾクリとした戦慄が走った。

「あっ、あんっ、いやっ、やめて……っ」

はぁはぁとあえぎながら、せつない声をあげて抵抗するのだが、身体に力が入らない。

「やめて……お願い……いやいやっ、いやぁ……っ」

——なに、この声？　ハレンチだわっ。まるで、もっとさわって、って言ってるみたいじゃないの!?

イヤイヤをする仕草《しぐさ》も、まるで誰かに媚《こ》びているようだ。

——どうしよう。身体が熱いわ。熱くて熱くて、力がぜんぜん入らない。

ざわ、と教室がざわめいた。

里紗と未央が女子生徒にタッチしてきゃあきゃあと騒ぐのは、もはやクラスの風物詩になっている。

またやってる、程度にしか思っていなかったクラスメートたちだが、さわられて身体をくねらせているのが春菜でもララでもなく、お堅《かた》い風紀委員であることにようやくのことで気づいたのだ。

がたがたっと椅子《いす》が鳴った。生徒たちが驚きのあまり腰を浮かした音だ。

唯の周囲に人だかりができた。

風紀委員のまわり半径一メートルを、クラスメートが丸く取り囲んでいる。彼ら彼女らは、驚きのあまりぽかんと口を開けている。

「古手川さん、エロい……。セクシーだ……」

「どうしちゃったの!?」

ささやく声が聞こえてくる。

――ふんっ。私、おかしくなんかないわ!!

だが、身体は唯を裏切った。

恥ずかしそうにうつむきながらも、上目遣《うわめづか》いで正面を見て、恥じらう笑顔を浮かべたのだ。

「私って非常識よね。ハレンチだわ」

話す内容はいつも通りなのに、甘い声と弾む口調、笑顔で話すと、やたらとかわいらしくなってしまう。それは、いままでの自分にはないもので、唯はひたすらとまどった。

「古手川、なんか、カワイくね!?」

猿山が歓声《かんせい》をあげた。

ララが顎《あご》に指を当て、不思議そうに首をひねる。

「唯、カワイイね？」

本人にはわからないことながら、いつものトゲトゲしい態度がなくなった彼女は、愛らしかった。

長いまつげが整《ととの》った顔に影を落とし、表情をやさしく見せている。

「古手川、もしかして、どこか悪いんじゃないか？」

リトが言った。

「私、ハレンチよね。でも、病気なんかじゃないわ」

唯は花がこぼれるように笑った。

曲げた人差し指を半開きにした唇《くちびる》に当て、小首をかしげる。黒髪が、砂のような音をたてて、サラリと揺れた。

生徒たちがざわめいた。

「御門先生呼んできたほうがいいぞっ!! 古手川のやつ、ぜったい病気だっ！」

猿山が、教室を飛びだしていった。

——病気じゃないって言ってるでしょっ!!

――ああ、もう、イライラするわっ。どうしてこんなに熱いのよ。熱くて熱くて、頭がぼうっとしてきた。

「んふふーっ。床がゴムになってるわー」

唯ははしゃいだ。

床がぶよぶよで弾力がある。トランポリンに変わった床で身体を揺らすと心地よい。父と兄が二人でよくビールを飲んで、赤い顔をしているが、酔っぱらうというのはこんな感じだろうか。

――なんか熱いのよね。この熱いのをなんとかしたら、いつも通りになるかしら。

唯は、ブレザーのボタンを外し、リボンタイの結び目をほどくと、しゅるっと音をたてながら引き抜いた。

「わーっ、わわわっ。わーっ」

頭がぼうっとしているせいか、クラスメートの騒ぐ声が、遠くの潮騒《しおさい》のように聞こえてきた。

唯は、うっとりした笑《え》みを浮かべながら、悩ましい仕草でブレザーの袖《そで》を抜く。ぱさりと音がして制服が床に落ち、甘い香りがふわっとたちのぼった。

「きゃあっ、だ、だめっ。古手川さんっ」

春菜は一瞬迷う表情をしたあと、窓際《まどぎわ》の机の上にひらりと飛び乗り、カーテンに手を伸ばす。そして、真剣な表情で友人たちに頼んだ。

「結城くん、里紗、未央、お願い、手伝って。このままじゃ、古手川さん、学校に来れなくなっちゃう」

「うんっ。そうだなっ」

リト、里紗、未央、春菜が、四人がかりで窓のカーテンを外していく。

——籾岡さんたち、何をしているのかしら？

思考力が落ちていて、クラスメートがどうして血相《けっそう》を変えているのかわからない。

唯は、ブラウスのボタンに指を当てた。ぷちぷちと音をたて、ボタンをひとつひとつ外していく。

ブラウスの前が少しだけ開き、鎖骨《さこつ》のヘコミと、ハーフカップのブラジャーがつつむ胸の谷間、それにきゅっと締《し》まったお腹が見える。

スカートのベルトに半分だけ隠れている、縦長《たてなが》のおへそがかわいらしい。

——やめなさいっ。やめるのよっ!! 何をするつもりなのっ。私っ!!

「私を見て……私が病気なんかじゃないってこと、わかるから……」

唯ははにかんだ笑みを浮かべながら、ブラウスをひらひらさせた。

——やだやだやだ恥ずかしぃーっ。これじゃストリップじゃないのーっ。私、どうなってしまったの!?

だが、唯の手は止まらない。

スカートの留《と》め金《がね》に手が伸びた。

——やめてーっ。やめてぇっ。お嫁に行けなくなっちゃうっ。

唯は、スカートの留め金を外し、ファスナーを下げる。

丸い輪となって、唯の周囲にスカートが落ちるとともに、ブラウスが脱《ぬ》ぎ捨てられた。

「きゃあーっ」

「うわっ」

そのとき、唯の視界がほこりくさい黒いもので遮《さえぎ》られた。

——何コレ?

カーテンだった。教室の窓に下がっている、あの黒いカーテンである。

「見ちゃだめーっ」

「古手川さんっ、か、隠してっ」

「みんな、見ないでーっ。お願いだから見ないであげてっ」

里紗、未央、春菜が唯の身体にカーテンをぐるぐるに巻きつけて唯に抱きつき、裸《はだか》が見えないように押さえている。

——あ、ありがとう……。

唯は内心で安堵《あんど》のため息をついた。

ガラリとドアが開き、白衣のポケットに両手を突っこんだ御門先生が入ってきた。

校医の後ろに、薬箱を提《さ》げた女子生徒がひとり佇《たたず》んでいる。村雨静《むらさめしず》。御門診療所の住みこみナースで、彩南高校の生徒でもある。

「御門先生、今、古手川さんが脱いじゃって」

「で、でも、すぐ隠したから、誰にも見られてません」

「古手川さん急におかしくなって」

里紗、未央、春菜が口々に言う。

でも、リトだけは一瞬、見てしまった。

鎖骨のへコミの下には、グレープフルーツのように美しく実《みの》ったムネ、キュッとくびれたウエストに、縦長のかわいいおへそ。美しい稜線《りょうせん》を描く腰、すらっと伸びた太腿が続いていた。

「非常識よね。でも、私、普通よ?」

巻き寿司《まずし》状態の唯が小首をかしげて笑った。

――ぜんぜん普通じゃないわよーっ。

「ああやっぱり……。猿山くんから話を聞いて、そうじゃないかと思っていたのだけど、当たりだったわね。これは、オキワナ星の滋養強壮剤《じようきようそうざい》の副作用よ。地球人にはあわないみたいね」

――ふ、ふ、副作用なの？

あのサプリメントを飲んでから、妙に身体が熱いと思っていたのだ。

床はフワフワだし、頭はぼうっとするし、どうしていいかわからなかった。副作用と聞いて納得《なつとく》する。

「サプリメントを飲んでね、って言ったのに、オキワナ星のほうを飲んだのね。生徒たちが間違って飲まないよう、棚《たな》の奥に隠しておいたつもりだったんだけど……持って帰らなかった私の失態ね」

「御門先生、ど、どうしたら？」

「そのうち元に戻るわよ」

「そのうちって？」

「薬の効果が切れるまでよ」

――そんなのイヤーッ!!　薬が切れるまでこのままなのーっ。

唯は泣きそうになった。

明るく無邪気《むじゃき》でかわいい自分は許せても、脱いじゃうなんて許せない。自分で自分を殴《なぐ》ってやりたい。

御門先生が、豊満《ほうまん》なムネを揺すりながら唯に近づいてくる。

消毒薬の匂《にお》いと香水の香りが立ちのぼった。大人《おとな》の女性の匂いだった。

「お静ちゃん」

「はいですぅー」

つき従っていたお静が、薬箱のフタを開け、御門先生に注射器を渡した。

美人校医のしなやかな指先が、注射器の針を覆《おお》うキャップを取った。

そして次の瞬間――。

唯の首筋《くびすじ》に、ヒヤッとしたものが触れた。

視界がブラックアウトした。

☆

春菜はへたっと座りこんだ。

目の前で注射器が唯の首に突《つ》き刺《さ》さり、薬剤を注入するところを見てしまったからだ。

唯のまぶたがおちて、黒曜石《こくようせき》の瞳《ひとみ》を隠す。

「わっ。こ、古手川さんっ、お、重いよぉっ」

「うわっ、古手川さん、自分で立ってよ」

唯を支《ささ》えている里紗と未央が悲鳴をあげている。

春菜はあわてて風紀委員の身体《からだ》を支えた。唯はぐらぐらになっていて、意識を失っていることがはっきりわかる。

カーテンのぐるぐる海苔《のり》巻《ま》き状態になっている唯を、三人がかりで椅子《いす》に座らせた。

唯はその姿勢のまま、ぴくりともしない。

「古手川さん、まさか……」

「い、生きて、るよな？」

たしかに呼吸をしているのだが、深く眠りこんでいる。

教室は静まりかえった。

クラスの全員は、怖《こわ》そうに御門先生を眺《なが》めている。

いきなり生徒の首に注射器を突き刺す校医を前にして、明るい気分になれる生徒がいたら教えてほしい。

「な、何の薬を……？」

春菜はおそるおそる聞いた。

「解毒剤《げどくざい》ですぅーっ」

お静が気の抜ける口調で言った。

「はーっ」

安堵《あんど》のため息が、誰からともなく起こった。

「睡眠作用があるけど、目が覚めたら元に戻っているはずよ」

凍《こお》りついていた教室の空気が、少しだけなごむ。

「よ、よかった……」

喜んでいるのは春菜たち女子生徒だけで、男子生徒はコソコソとささやきあっている。

「元の古手川に戻るのか……。それは怖いつーか、残念だよなー」

「いまの古手川、かわいかったんだけどなぁ」

「古手川のブラ、見えたか?」

「見えなかったぜ、惜しいことしたな!」

春菜は耐《た》え切れず声をあげた。

「い、言わないであげてね!」

つつましくおしとやかな委員長があげた大声に、クラスの男どもが黙りこむ。

「古手川さん、恥ずかしがると思うの。だから、だから、忘れてね！」

御門先生が、お静に向けて手を差しだした。

お静が心得たように注射器を渡す。

「西連寺さんの言う通りよ。いい男っていうものは、女の子の恥ずかしい姿なんて、知らないフリをするものよ」

御門先生は、注射器を高く掲《かか》げると、ピストンを指先で押した。

注射器のギラッと光る細く長い針の先端から、ちゅっと液体が飛びだして、空中に軌跡《きせき》を描く。

教室は静まりかえった。

男子生徒は怖そうに目をそらし、女子生徒はあいまいな笑《え》みを浮かべて固まっている。

お静は、唯が脱《ぬ》ぎ捨《す》てた制服を拾っては、せっせと畳《たた》んで机の上に置いている。

「忘れましょうね？」

御門先生が、指先で注射器を回した。

腕利《うでき》きガンマンが、引き金に指を入れて拳銃をくるくる回すような仕草《しぐさ》だった。

いつでも撃《う》てるぞ、というパフォーマンス。

はっきり言うなら脅《おど》しである。

「ね？　結城くん」

突然話を振られたリトが、気をつけの姿勢でコクコクと同意する。

「勉強しなさい。いまは授業時間よ。お静ちゃんも、早く授業に戻りなさいな」

「はーいっ。すぐですぅーっ」

そして、香水と消毒薬の香りを振りまきながら、御門先生は教室を出ていった。校医につき従っているお静がドアを閉めると同時に、こわばっていた教室の空気が、急速に弛緩《しかん》する。

「こ、怖かった……」

「おしっこちびりそうだった」

「もう、下品なんだから……っ」

「べ、勉強しよう」

「そ、そうだ、自習だ。勉強しなきゃ……っ!!」

「うん」

みんなはカバンから教科書を出し、あるいは机の中から問題集を取り出して、机に向かいはじめた。

鉛筆を走らせる音とノートをめくる音が静かに響《ひび》く。

まるで定期試験のような緊張した空気の中で、唯だけが幸せそうな表情を浮かべて、スウスウと寝息をたてていた。

☆

「んっ」
唯は、ふっと目を覚ました。
――ヘンな夢を見ていた気がする……。
性格が変わってしまい、媚《こ》びを売ったあげく、制服を脱《ぬ》いで下着姿になった夢だ。
委員長の春菜が、見ないであげてと叫んでいたのを覚えている。
――あれれ、腕が動かない。どうして？
唯は、黒い布にぐるぐる巻きにされていた。
――夢じゃないっ!?
かーっと顔が赤くなった。
――い、いま、何時っ!?
教壇の上の時計は、自習時間がちょうど終わったことを示していた。
「きゃーっ!!」

両手で顔を隠したいのだが、腕が動かない。

唯はカーテン海苔《のり》巻《ま》き状態のまま、よろよろと教室を出て廊下を走り、更衣室に向かって走る。

「唯～!! 制服、忘れてるーっ」

ララの声が唯の背中を追ってくるが、羞恥《しゅうち》と困惑《こんわく》でパニック状態の彼女に、足を止める余裕はない。

更衣室よりもトイレのほうが近いことに気がつき、女子トイレに飛びこむ。カーテンを外《はず》そうとしてもたもたしていたら、ララがひょいっと顔を出した。

両手に制服を抱《かか》えている。

「唯～、忘れものだよーっ」

「あ、ありがとう……」

ララのお日様のような笑顔を直視するのが恥ずかしくて、そっぽを向いて受け取る。

「カーテン、持ってるね」

誰かの手が伸び、唯が外したカーテンを持ってくれた。

「はい、ブラウス。……はい、スカート。……リボンタイだよ」

ララが順繰《じゅんぐ》りに差しだしてくれる制服を、そそくさと身につけていく。

リボンタイを左右対称になるようにきちんと結び、ブレザーを着ると、やっと気持ちが落ち着いた。

「カーテンちょうだい。つけてくるから」

人の顔を直視するのは照れくさいので、わざと視線を外しながら両手を差しだす。

前に立っている女子生徒は、カーテンをスッと引いた。

「外したのは私たちだから、私たちがつけるね」

春菜だった。里紗と未央もいる。

——私が教室で脱いじゃったの、西連寺さんとかに見られているんだ……。

顔が耳まで赤くなる。

「西連寺さん、私のアレ、み、見た、わよね？」

「一瞬だったから見えなかったわ」

「う、ウソよ。そんなの……。見たんでしょっ!?」

三人は、おでこをくっつけあわせるようにして何事か相談している。

「古手川さん。ありがと」

「ありがとうっ」

「さっきはごめんねっ」

口々にお礼と謝罪を言われてしまい、びっくりして口ごもる。

「え？　な、な、何？　どうして？」

間違えて薬を飲んでしまったのは唯の失敗であり、春菜たちにお礼を言われるようなことはしていない。謝罪される筋合《すじあい》いもない。

お礼を言うのはむしろ……。

——私のほうよ。

だが、唯は口に出せない。恥ずかしくて、照れくさくて、言葉が口から出てこなくなってしまう。

「だって、古手川さんのかわいいところ見せてもらったから」

——やっぱり見たんじゃないのーっ。

「私たち、あのあとちゃんと勉強したよ」

「制服のリボンタイ、ちゃんとつけたのよ」

「スカート丈《たけ》、戻したんだよ」

——ほ、ほんとだわ。

わざと視線を外していたので気がつかなかったのだが、里紗は珍しく、いちばん上までブラウスのボタンをはめて、リボンタイをゆったりと結んでいる。ブレザーの前もボタンがきちんとはめられて、まじめそうな雰囲気になっていた。

未央のスカートは、短くするために折り返してとめていた糸が引き抜かれ、裾《すそ》からちょうど五センチ上のところに、まっすぐな山折り線が走っていた。

「春菜ね、みんなに、唯のやったこと、忘れてね、って言ったんだよー」

ララが言った。

明るくて無邪気《むじゃき》な異星人のプリンセスは、唯にはない良いところをたくさん持った、ひまわりみたいな女の子だ。

「やっだっ。ララさん、言わないでよっ」

春菜が照れてララの肩を叩《たた》いている。

——私も、お礼を言わなきゃ……。

唯は顔を赤くさせ、腕組みをしてそっぽを向いた。

「ふ、ふん……お、お礼なんて、言ってあげないんだからっ!!」

——きゃーっ。私のバカバカッ!! どうしてそうなっちゃうのっ。ありがとうって言いなさいよーっ。

なんでもないときなら普通にお礼が言えるのに、こういう大事なところで憎まれ口を叩いてしまう。

「うんうん。それでこそ古手川さんだよねっ!!」

「ねーっ」

里紗と未央が顔を見あわせてにまにました。

「よかった。古手川さんが元通りで」

「唯は、そのままがいいんだよ」

春菜と異星のプリンセスが口々に言う。

「行こっ!」

「そうね、授業がはじまるまでにカーテンをつけなきゃねっ」

「うんっ」

春菜は、黒いカーテンを抱え直すと、バタバタと走っていった。里紗、未央、ララも春菜を追って走っていく。

「ありがとう、みんな……」

唯はクラスメートの背中に向かって、小さな声でささやいた。

ナースクイーンは高らかに笑う

「ふぅ……」

天条院《てんじょういん》沙姫《さき》は、シャワーのコックに手を伸ばし、キュッとひねった。放射状に落ちていたお湯が止まる。

白い肌《はだ》を伝い落ちていく水滴が、天窓から差しこむ朝日を浴びて、真珠《しんじゅ》のように光った。

沙姫はぶるっと裸身《らしん》をふるわせた。こぶりのメロンのように美しく実《みの》ったムネがぷるんと揺れ、蜂《はち》のようにくびれたお腹《なか》から腰へのラインが、見事な曲線を描く。

天条院家の浴室は広く、シャワーだけだと肌寒《はだざむ》いが、起き抜けにシャワーを浴びて目を覚ますのは、彼女の毎朝の儀式になっていた。

沙姫は巨大企業、天条院グループ総帥《そうすい》のひとり娘だ。眠そうな顔をして学校に行くことなど許されない。

沙姫は濡《ぬ》れた肌に直接バスローブを羽織《はお》ると、首にはりつく髪をうるさそうにぶるんと振った。

そして、広々としたバスルームを突っ切って、隣接のパウダールームのドアを開ける。

沙姫専用のパウダールームでは、年かさのメイドがブラシとドライヤーを持ち、待ちかまえていた。

「おはようございます。お嬢様」

「おはよう。お願いね」

沙姫がドレッサーの前に座るのを待ちかねたようにして、メイドが後ろに立った。

そして宝物を扱《あつか》う手つきで、沙姫の髪にドライヤーをかけていく。

ふわふわくるくるのくせっ毛は、あっという間に縦《たて》ロールのお嬢様ヘアになった。メイドは、沙姫の側頭部に小さなお団子《シニヨン》を作りながら言った。

「お嬢様、いよいよですね。昨日《きのう》はよくお眠りになられましたか」

「ええ、もちろんよ」

「メイド服三着、用意しておきました」

「ありがとう」

「アルバイトなんて大変ですね」

「家訓《かくん》ですもの。がんばらなくては……」

沙姫は自分に言い聞かせるようにして答えた。

天条院家には家訓があった。

天条院家の一員たるもの、一度は他人の釜《かま》の飯《めし》を食べ、使用人の気持ちを知るべし。

天条院の人間は、長じてのち、人を采配《さいはい》し、大金を動かす存在になる。そう義務づけられているのだ。

人に指図《さしず》されたことのない人間が、人を采配することはできない。

お金の重さを知らずに大金を動かすことは危険だ。

だからこそ、学生のうちにアルバイトをして社会勉強しろ、というのである。

家訓を遂行《すいこう》するのは、なるべく若いときが望ましいとされていた。

期間は十日間。

父もその昔、道路工事のアルバイトで肉体労働をして、家訓を遂行したという。

沙姫も家訓を達成しなくてはならない。

天条院沙姫のプライドにかけて。

メイドの手が繊細《せんさい》に動き、小さなシニヨンが完成した。リボンで飾られたシニヨンが愛らしい。

「いつもありがとう。今日もステキね」

沙姫はにこやかにメイドをねぎらった。

年かさのメイドは、お嬢様がかわいくてたまらないと言わんばかりの、やさしい笑顔を浮かべている。

「昨晩、ご主人様が、お帰りになられました。朝食をご一緒しようとおっしゃっておられます」

「えっ。お父様が帰ってらっしゃるのっ⁉」

沙姫は、輝く笑顔を浮かべた。

☆

沙姫は、執事《しつじ》がドアを開けるのももどかしく、ダイニングルームに飛びこんだ。

大好きな父が、両手を広げて迎えてくれた。

父は格好《かっこう》がいい。長身をゼニアのスーツに包み、イタリア製のシルクのネクタイを締《し》めている。オールバックにした髪も、銀縁《ぎんぶち》の眼鏡《めがね》もステキだ。

「おはようございますっ。お父様っ」

沙姫は父に抱きついて飛《と》び跳《は》ねた。

「沙姫、久しぶりだな」

「ええ、一週間ぶりかしら。お元気そうでうれしいわ」

沙姫の父、天条院劉我《りゅうが》は、天条院グループの総帥《そうすい》だ。

年齢はまだ四十代と若いのだが、いくつもの有名企業のCEOを兼任する敏腕《びんわん》経営者である。

今日は東京、明日はニューヨーク、あさってはパリと飛び回っている。多忙を極《きわ》める彼が、家でゆっくりできる日はそれほどない。

父と一緒にいられる時間は、沙姫にとって貴重な時間だ。

「沙姫はまた大人《おとな》っぽくなったな」

「お父様、美しくなったと言ってくださる？」

「沙姫が綺麗《きれい》なのは私がよくわかっているよ。自慢の娘だ」

メイドがワゴンを押して入室してきた。

食欲をそそる匂《にお》いがぷんと香る。

「ご主人様、お嬢様、朝食でございます」

沙姫はあわててテーブルについた。シェフが腕によりをかけて作ってくれた料理だ。お行儀の悪いことは許されない。

「エンドウ豆とトリュフのスープでございます」

沙姫は目の前に座る父が食事をはじめたことを確認してから、優雅《ゆうが》な仕草《しぐさ》でスプーンを操《あやつ》った。エンドウ豆の甘さをトリュフのクセのある味が引き立てていて、味わい深い一品だ。

「いよいよ今日からアルバイトだな。どんな仕事をするんだ?」

「メイドなの」

「どこの屋敷だ?」

「お屋敷ではないわ。でも、天条院グループとは関係のないところよ」

「そうか、しっかりな」

「はい、お父様。ちゃんと学校の許可ももらったわ。綾《あや》も凛《りん》も同行してくれるの。だから心配しないで」

「九条《くじょう》、よろしく頼む」

背後に控えていた執事長の九条戒《かい》が、軽く頭を下げた。

「不肖《ふしょう》の娘がお嬢様にご迷惑をおかけしないか心配です」

「あら、凛は私《わたくし》の友人ですのよ。迷惑どころか、凛にはたくさん助けてもらっておりますわ。いくら凛のお父上だからって、私の友達を悪く言わないでくださいね」

沙姫が唇《くちびる》を尖《とが》らせるようにして文句を言うと、執事長がうれしそうな笑顔を浮かべてかしこまった。

「はっ」

父の劉我は、それでいいというように、目を細めて笑っている。

☆

エプロンの胸当てを押しあげる双《ふた》つの大きなふくらみが、太った手でつかまれた。

やわらかそうな胸乳に短い指が食いこみ、ぐにゅっと歪《ゆが》む。

「きゃっ」

悲鳴があがり、メイド服を着たお嬢様の肘《ひじ》が、太った中年男の顔にめりこんだ。

「無礼者っ、沙姫様に何をする」

九条凜のふるう木刀が、セクハラ男の頭頂部を的確に打つ。凜のポニーテールが大きくハネて、メイド服の背中に落ちかかる。

「沙姫様……っ」

もうひとりのおつきの少女、藤崎《ふじさき》綾がトレイを抱《かか》えておろおろしている。丸いフチの眼鏡《めがね》とストレートロングの黒髪が大人《おとな》しい印象の彼女は、三人のなかでいちばんメイド服が似合っている。

「きゅーっ」

中年男が悲鳴をあげて失神した。中年太りのぽこっとふくらんだお腹《なか》を上にあげ、両手をだらんとさせて、仰向《あおむ》けに伸びる。

校長室の落ち着いた調度品が、突如《とつじょ》として起こったセクハラ行為に、居心地《いごこち》悪そうに息をひそめている。

「もう、もう、校長って、どうしてこうなのかしらっ」

この下品な中年男は、沙姫たちが通う彩南《さいなん》高校の校長だ。

沙姫は、柳眉《りゅうび》を逆立《さかだ》ててハーハーと息を荒らげた。

エプロンを引き剝《は》がすようにして取り、メイドキャップも外《はず》した。そして、真っ白なエプロンをぎゅうぅっと握《にぎ》りしめる。

「沙姫ちゅわーんっ」

校長がぴょーんっと起きあがった。まるでバネじかけのオモチャのような、身軽な動きだ。

沙姫は無言で、黒いハイソックスでつつまれた下肢《かし》を九十度の角度に振りあげた。

上履《うわば》きの底が校長の顔面にめりこんだ。

ぐにゅっとした感触が気持ち悪ぃ。

さっきのエルボーはつい手加減してしまったが、今度のケリは見事に入った。

ぎゃん、と悲鳴があがり、校長が再び仰向けになった。

白目を剝《む》いているので、完全に失神しているらしい。

「ちゃんとしたバイトを探すべきだったのよ。私《わたくし》が安易《あんい》だったわ」

彩南高校では、アルバイトをするときはまず学校に届けを出し、学校側の許可をもらう必要がある。

しかし、生徒たちはバイトを決めてから許可を取るか、あるいは学校に内緒でする。

おおらかな校風なので、バレても別に処分されない。バイト許可制度はすでに形骸《けいがい》化していた。

だが、沙姫は、まずはじめに学校に許可願いを出した。

律儀《りちぎ》ともいえるが、世間知らずのお嬢様らしい行動だともいえるだろう。

書類を見た校長は、沙姫を呼び出して言った。

――天条院さん。バイトは決まっているのですか？

――いいえ、まだです。

――だったら、校長室でメイドをしないかね？

メイドは、沙姫にとってなじみ深い仕事だった。入ったことのめったにないファストフードショップの店員や、一度も行ったことのないスーパーのレジよりは、仕事内容が理解しやすい。

雇用者《こようしゃ》は使用人の気持ちを知るべしという家訓《かくん》にぴったりの職業だ。

沙姫は二つ返事で引き受けたのだが、結果はコレであった。

セクハラ校長のメイドなど、プライドの高い沙姫に勤《つと》まるわけがなかったのである。いや、沙姫でなくとも、校長のメイドは、きっと誰も勤まらないだろう。

「メイドなんてやめますわっ‼」

沙姫は失神している校長に向けて言い放《はな》った。

バイトをはじめてわずか五分後の退職であった。

「綾、凜、行きますわよ」

沙姫主従は、校長室を出てドアを閉めた。

悶絶《もんぜつ》している校長がひとり残された。

☆

「沙姫様、これからどちらへ?」

凜が聞いた。

「もちろんバイト探しですわよ」

沙姫が答えた。

「お手伝いします」

綾が遠慮がちに申しでる。

そして、沙姫の両脇《りょうわき》を一歩遅れて歩く綾と凜が、同時に言った。

「すべては沙姫様のために」

二人の声が見事にハモる。

文化祭でもなんでもないごく普通の放課後に、メイド服の美少女二人と、黒いワンピースのお嬢様が学校の廊下を歩いている様子《ようす》はかなり異様で、生徒たちがじろじろと眺《なが》めながら通りすぎていく。

「あら、あなたたち、どうしたの？」

白衣のポケットに両手を突っこんだ校医がすれ違いざまに声をかけた。豊満《ほうまん》な身体《からだ》を白衣につつんでいる。消毒薬と香水の匂《にお》いがぷんと香った。

「御門《みかど》先生。……いえ、なんでもありませんわ」

沙姫は髪を肩の上で払った。言葉とはうらはらに治《おさ》まっていたムカムカが再燃し、体がぶるぶる震えてしまう。

「あ、あんの、セクハラ校長っ!! 家訓《かくん》なのにっ。どうしたらいいのかしらっ」

美人校医が聞き返す。

「家訓?」

「天条院家には、他人の釜《かま》の飯《めし》を食うべしという家訓があるんですのよ」

聡《さと》い校医は、それだけで沙姫の黒ワンピースとおつきの少女のメイド服、沙姫の額《ひたい》のアオスジの原因を理解してしまったらしい。満面の笑顔で沙姫を誘う。

「バイトならうちでナースをしない?」

「御門先生の診療所ですか!?」

「宇宙人専門ですよね?」

「ナースって専門職ですわね。バイトでかまわないんですの?」

綾、凜、沙姫が口々に聞く。

「いいのよ。住みこみのナースがひとりいるのだけど、むずかしい患者さんがひとりいて、彼女の手には余るのよね」

綾と凜は、不安そうに沙姫を見た。

——沙姫様、むずかしい患者さんって、異星人ですよね?

——ナースなんて、私たちにできるでしょうか？

沙姫は悩んだ。バイトはしたい。いや、しなくてはならない。校医の申し出は渡りに船だ。だが、異星人の患者相手のナースなんて、はたして自分にできるのだろうか。

「平日のバイトは放課後でOKよ。休みの日は朝から来てね。ああ、そうそうバイト代だけど……」

御門先生は、白衣のポケットから銀河《ぎんが》仕様《しよう》ケータイを取りだした。

「えっと、地球通貨だと……円だから……今のレートが……」

ぶつぶつ言いながら数字盤に親指を走らせる。そして、ケータイの液晶画面を沙姫に向けて差しだした。

「バイト代はこれでお願いできるかしら」

電卓機能が呼びだされ、数字が表示されている。

「日給ですか？」

「まさか、時給よ」

「こんなにたくさんっ!?」

綾と凜が息を呑《の》んでいる。

お嬢様である沙姫だけがきょとんとしている。

「物価が違うので、地球人から見れば高く見えるでしょうね」

「それだけむずかしい仕事、ということですわね？」

沙姫が警戒心をあらわにして念を押す。

「天条院さんのような優秀な方なら、だいじょうぶだと思うのよ」

これがトドメだった。イヤそうに顔をしかめていた沙姫の顔に、勝《か》ち誇《ほこ》った色が浮かぶ。

「し、しかたないわね。ナースをしてあげましてよ。バイトクイーンの私《わたくし》にできないことなどありませんわ」

沙姫は手の甲を口に当てると、ほほほと声をあげて笑いだした。

ほほほ笑いは、ごく普通の生徒が通う彩南高校ではひどく目立つ。

生徒たちがぎょっとした表情で足を止め、怖《こわ》そうに眺めている。

「そう。ありがとう。だったら、さっそく今日からお願いしますね」

「私たちはバイト代はいいので、同行を許可していただけないですか？」

凜が申しでる。口の重い綾が大きくうなずいた。

「そうね。人手があるのはうれしいわ。お二人にもお手伝いしてもらおうかしら。でも、ちゃんとお金は払わせてもらうわ」

「はい。ではお願いします」

「ほーほほほっ、ほほほほっ、ほほほほーっ」

放課後の廊下に、お嬢様のあげる笑声《しょうせい》が甲高《かんだか》く響《ひび》いている。

☆

「短いな……」

凜が着慣《きな》れないナース服の裾《すそ》を指先でひっぱっている。

綾は髪につけたナースキャップを気にしていた。

「ナースキャップって落ちそうですね」

「綾も凜も、よく似合っていてよ」

沙姫は、友人たちを誉《ほ》め称《たた》えた。

お世辞ではない。

きりりとした美貌《びぼう》の凜は、しっかりものの看護師という雰囲気だし、淡《あわ》いピンクのナース服が綾のおっとりしたところを引き立てて、やさしそうな印象を強調している。

だが、もっともナース服を美しく着こなしているのは自分だった。

自慢ではなく事実である。

「沙姫様、ナース服、よくお似合いになりますわ」

「沙姫様は何を着てもお綺麗《きれい》です」

「ふふっ、当然ですわ！」

沙姫は、手の甲を口に当ててスウと息を吸った。ほほほ笑いを爆発させようとしたまさにその瞬間、のんびりした声がかかった。

「検温に行きますですよー」

先輩ナースのお静《しず》が、カルテを抱《かか》えて立っていた。

沙姫は空気を読まない幽霊に非難の視線を送ったが、彼女は先輩で自分はバイトだと思い直し、こほんと咳払《せきばら》いして手を下ろす。

「御門診療所では、夕方六時に検温をします。体温を測《はか》って、患者さんから具合を聞いて、カルテに記入してください。今日は私がやりますが、次からはみなさんでお願いします。熱があれば私か御門先生に言ってくださいね」

病室のドアを開けて声をあげる。

「こんばんはーっ。検温です」

ワニそっくりの顔をした宇宙人がベッドに座り、せっせと編《あ》み針《ばり》を動かしていた。

体つきは地球人なのに、顔だけがワニというのはちょっと不気味で、沙姫の喉《のど》がヒュッと鳴った。綾と凜も緊張のあまり瞳《ひとみ》をヨリ目にさせてこちんこちんになっている。

「おかげんいかがですか？」

「あら、看護師さん、増《ふ》えたのね」

ワニ型宇宙人は、大きな口を動かして言った。怖《こわ》い顔の中で、黒い瞳が親しみやすい色をたたえて沙姫を見ている。

「そうなんですよぅー。サルコスクスさん。こちら、沙姫さん、綾さん、凜さんです」

「まあ、三人ともかわいらしい方ね。お世話になりますね」

——あら、普通のおばさまだわ。これならだいじょうぶそう……。

怖そうな見た目と違い、言葉遣《づか》いも話し方も、至《いた》って普通の中年女性だ。

「沙姫と申しますの。よろしくお願いしますわね」

「はじめまして。綾といいます」

「凜です。はじめまして」

「体温は二十五度ですね」

「二十五度っ!?　病気ではありませんの!?」

「いえ、アリゲーター星人さんの平熱です。平熱についてはカルテに書いてありますから……」

「こんばんはー、検温でーすっ」

お静はてきぱきと病室を回っていく。

「体温百度、うーん、アスター星人さんにしては、ちょっと低目ですねぇ。お加減が悪いとかありませんか？　御門先生、呼んできましょうか？」

——村雨《むらさめ》さん、すごいですわね。

——沙姫様、お静さんがひとりいたら、私たち、いらないんじゃないですか……？

沙姫と綾と凜は、先輩ナースのてきぱきとした仕事ぶりに感心するばかりだ。

彩南高校の制服を着て、学校に通っているときの『お静ちゃん』は、明るくてドジでちょっとズレている女子高生なのだが、御門診療所での彼女はまったく違う。

落ち着いたものごしで患者と接し、カルテに走らせる文字も達筆だ。にこやかに患者の世話をする様子《ようす》は、さすがナースと感心させられる。

——御門先生が厳《きび》しく指導したのね。きっと。

——あの先生、怖そうですし……。

沙姫が友人たちと耳打ちしながら、廊下を歩いていたときのことだった。

「きゃっ」

カルテを抱《かか》えて先を歩いていたお静がバタッと倒れた。

ナース服の短いスカートがめくれあがり、かわいいお尻《しり》が丸出しになる。

その瞬間、魂《たましい》が抜けでてしまい、幽霊の本体があらわれた。魂が抜けでた人工体《バイオロイド》は、死人のようにぐったりしている。

「……っ!!」

驚く沙姫を凜が背中でかばい、綾が呆然《ぼうぜん》として棒立ちになっている。

お静は驚くと魂が抜ける。それは沙姫だって知っている。だが、目の前でその様子を見ると少し怖い。

お静はあわてて人工体《バイオロイド》に憑依《ひょうい》した。白い着物の幽霊がナース服の人工体に吸いこまれ、指先がぴくっと動いた。

沙姫はようやく気を取り直して聞いた。

「村雨さんっ、ど、どうなさったんですの……っ!?」

「転んじゃいましたぁ～っ、あはは～っ」

お静は照れ笑いをしながら立ちあがり、落ちたカルテを拾《ひろ》いあげた。そして、何事もなかったかのように歩いていく。

沙姫は友人たちと顔を見あわせた。

――ど、どうして何もないところで転べるんですのっ!?

――何か起こったのかと思ってあわてたぞ。

——やっぱり『お静ちゃん』は『お静ちゃん』なんですね。沙姫様。

いちばん奥の病室の前で、お静が足を止めた。

眉根《まゆね》を寄せて、困ったような顔をして病室のドアを見つめている。

ドアの横には「シャンブロウ星人、サラセニア様」と毛筆のプレートが入っている。流《りゅう》麗《れい》な筆致《ひっち》は、お静が書いたものらしかった。

「村雨さん、どうかなさいまして？」

「えーと、その……。私、サラセニアちゃん、ちょっと苦手《にがて》なんですぅーっ」

「御門先生が、むずかしい患者さんがいるとおっしゃっていたわね？」

「そ、そうですね。むずかしいなぁー」

「セクハラ中年男かしら？」

校長のような、と言いそうになったが、自重《じちょう》する。

「いえ、かわいらしい小さな女の子ですよぉ。でも、みなさんがケガをされても困るし
……け、検温、や、やめておきましょうか……？」

「そんなのダメよ。カルテ貸してくださる？　私《わたくし》が検温してよ」

「ムリですよぉーっ」

「私にできないことなどありませんわっ」

沙姫はカルテをひったくるようにして持つと、ドアをノックして部屋に入った。

「きゃっ」

まぶしい光で、目がくらんだ。

天井《てんじょう》一面に電球がつけてあり、それらがいっせいに明るい光線を投げかけている。

緑色の髪をした小さな女の子が、ベッドの上に腰かけているのが見てとれた。

うつむいて絵本を読んでいた彼女は、顔をあげるとおどおどと沙姫を見た。

見た目はごく普通の地球人の少女だった。人間でいうと、小学校入学前ぐらいの年齢だろうか。

瞳のくりっとした、頰《ほお》がふっくらした少女だった。愛らしい容姿をしている。

——村雨さん大げさですわ。この子のどこが怖いんですの？

「検温ですのよ……じゃなくて、こんにちは。検温しますよー」

沙姫は、がんばって親しみやすい口調で言った。

廊下で騒ぐ声が聞こえてきた。

「だめですぅっ。こ、これを」

「なんでそんなものがいるのだ？」

「ヘルメットがいるんですぅーっ。あと、ブラシも。これがなきゃ、危なくて入れませーんっ」

——ブラシ？　何ですの？

沙姫は振り返った。

ドアはいつの間にか閉じられており、何十本もの細い細い緑のヒモがドアに張りついている。

「開かないぞっ!?」

「沙姫様ぁーっ」

「わ、わわわぁーっ、ど、どうしましょうですぅー」

友人たちと先輩ナースはドアを開けようとしているようだが、緑のヒモでふさがれてしまい、開けることができないようだ。

——これは何？　いったいどこから来たんですの？

ヒモの伸びてくる方向を確かめようとして頭をめぐらす。

少女のいるほうから、緑色の細いヒモが空を飛び、あるいは壁や地面を這《は》い進《すす》みながら、沙姫に向かってくる。

「きゃあっ」

緑色の細いヒモは、イソギンチャクの触手《しょくしゅ》のようだった。

沙姫の手足に巻きつき、白い肌《はだ》を這い回り、太腿《ふともも》やお腹《なか》、股間《こかん》や首筋《くびすじ》、胸のふくらみに巻きついてくる。

「きゃーっ、きゃあああっ、きゃーっ!!」

生理的な嫌悪《けんお》感と首を絞《し》められるのではないかという恐怖で、皮膚《ひふ》がザワリと鳥肌立《とりはだだ》つ。

触手に指をかけて引《ひ》き剝《は》がすのだが、剝がしても剝がしても別の触手が巻きついてくる。

足を踏み替え、手を振り回し、逃《のが》れようともがいても、いかんせん数が多すぎてきりがなかった。

手首をつかまれ、身体《からだ》が空中に浮かびあがる。自分の体重が手首にかかって痛い。

何百本という触手が、意思あるもののようにうごめく。

触手が股間や胸を這い回る感触が気色悪い。胸のふくらみにキュッと巻きついて、先端が心臓の上あたりを撫《な》でさすっている。股間に張りつき、身体をひっぱりあげている触手が肌に食いこむ。

首が絞められ、息が苦しくなってきた。

——い、いや……いやよ……。

声が出ない。ひゅうひゅうと息が漏《も》れるだけだ。

バアンとドアが開き、木刀を構えた凜が部屋に飛びこんできた。

上段に振りかぶり、気合《きあ》いとともに振り下ろす。

「ハッ！」

喉《のど》にからみついていた緑の触手がはらっとほどけた。ようやく声が出た。

「……凜っ」

「沙姫様に酷《ひど》いことをしないで!!」

おずおずと入ってきた綾がうわずった声で叫び、髪を梳《と》かすブラシを緑のヒモに引っかけて引き剝がした。綾は頭にヘルメットをかぶっている。

「えいっ。えいえいっ」

「ヘルメット？」

この小さな女の子は、防具が必要な存在なのだろうか。

「きゃっ」

部屋の奥から、かわいい悲鳴があがった。

触手がスルスルと部屋の奥へと後退していく。触手が、椅子《いす》に座っている少女の頭から伸びていることに気がついた。

開けっ放しのドアの向こうでは、先輩ナースのお静が、口に両手を当てておろおろしている。

拘束《こうそく》が緩《ゆる》み、床に落ちた沙姫は、ようやく自由になった手で痛む首をさすり、ゴホゴホと咳払《せきばら》いをした。

凜が、沙姫の前に飛びだして、木刀を正眼《せいがん》に構えた。

そして、お嬢様を背中でかばいながら、厳《きび》しい口調で叫ぶ。

「沙姫様っ、お下がりくださいっ!!」

凜の全身から、殺気がブワッと吹き出した。

「切るっ!!」

病室の空気が凍《こお》りついた。

触手は完全に消《き》え失《う》せた。

病室のいちばん奥で、愛らしい容姿をした幼女が、ガタガタと震えているばかり。

少女がイヤイヤをするように首を左右に振ると、大きな瞳に涙が盛《も》りあがり、頬を伝って落ちていった。

天井一面の白熱灯が投げかける光にきらめき、風もないのに揺らめく髪は、さっき沙姫を襲《おそ》った触手と同じ、あざやかな緑色をしている。

「凜、木刀をおさめなさいっ!!」

「ですが、沙姫様っ。あれは……」

「あの子は怯《おび》えているだけですわっ」

沙姫は従者を厳しい口調で叱《しか》りつけた。

「は。沙姫様、失礼しました」

凜は、しぶしぶという感じで謝《あやま》ると、熟練《じゅくれん》の手つきで木刀をくるりと返した。

「サラセニアちゃん。私の友達が失礼しましたわ。気を悪くなさらないで」

いつもの口調で言ってから、相手は子供なのだから、お姉さんっぽくしなくてはいけないと思い直す。

沙姫は笑顔を浮かべた。本人はやさしそうな顔のつもりだが、誰もが見とれずにはいられないほどの、華《はな》やかな笑顔だ。

「えっと、体温測《はか》ってもいいかしら？」

そして、ナース服のポケットから体温計を取りだし、空中で振った。

「サラセニアちゃんの具合はどうかなー。病気が良くなってるかなーって、体温を測るだけよ」

「痛いこと、しないの？」

窓際《まどぎわ》の少女が、おずおずと聞いた。

――おしゃべりできるのね。かわいい声ですわ。

「もちろんよ」

「注射しないの？」

「ええ」

「いやなこと、しない？」

「しないわ」

「だったら、いいよ」

「そう。よかった。ごめんね。すぐだからね」

沙姫は、少女に歩《あゆ》み寄《よ》った。サラセニアがびくっと震え、緑の髪が迷うように揺れたが、気づかないフリをする。だが、再び触手で襲われるのではないかという緊張で、胃の奥がキュッと縮みあがった。

「脇《わき》の下《した》にはさんでね。ピピッて鳴ったら終わりだから」

手の震えを押し殺し、平然とした様子をつくろう。

自分を誉《ほ》めてあげたい気分だ。

居心地《いごこち》悪そうにモゾモゾしていたサラセニアだったが、沙姫がなだめるように背中をトントンすると、緊張がゆっくりとほどけてきた。

「ほら、鳴ったわ。村雨さん。三十六度七分《ぶ》です」

「平熱ですね。沙姫さん、カルテに記入してください」

「はい。三十六・七。……じゃあね。サラセニアちゃん」

退室しようとした沙姫のナース服の裾《すそ》を、サラセニアがきゅっとつかんだ。つんつんと引く。つぶらな黒い瞳が沙姫を見あげてくる。

「どうかした？」

「お姉ちゃん。その……、お、お願いが、あるの……」

沙姫は、少女に目線を合わせるよう、膝《ひざ》をついて聞いた。

「何かしら？」

「むぎゅっ、していい？」

黒い瞳が、すがるような色をたたえて沙姫を見あげている。

──むぎゅっていったい何ですの？

──怖いわ。何をされるの？

──怯えちゃだめですわっ。沙姫！　私は天条院家のひとり娘なのよっ。こんな小さな女の子のお願いひとつ聞けないようでは、未来のトップは勤まらなくてよっ!!

「ええ、よくてよ」

「よかった……」

少女が抱きついてきた。

沙姫の首に両手を回し、頬に頬を当ててスリスリする。

女の子のやわらかい身体が密着した。ほっぺたがぷにぷにで心地よい。

「えへへ。お姉ちゃん。いい匂《にお》い……」

——むぎゅっ、って、だっこですのね。

——この子、淋《さび》しいんですのね？

こんなに小さい女の子なのに、ひとりで入院しているのだ。周囲は見知らぬ異星人ばかり。淋しくないはずがない。

「はいはい。だっこね」

沙姫は、少女を抱きあげようとした。

慣《な》れていないのでふらついてしまったが、そのままの勢いを利用して、少女を抱きしめたままぐるぐる回る。

異星人の少女はきゃあきゃあと笑った。

——かわいいっ!! この子、すごくかわいいっ!!

「沙姫様……」

「沙姫さん、すごいですぅ。私ならできないなぁ……」

綾とお静が話している声が聞こえてきた。

沙姫は少女を下ろし、抱擁《ほうよう》をゆっくりとといた。

「お姉ちゃん、ずっといるの？」

「ええ、しばらくここで働くわ」

「よかった」

沙姫は、少女の愛らしい笑顔に見とれた。

——私も似たようなものでしたわ。私には凛がいたから淋しくなかったけど、この子はひとりなんですわね。

お嬢様としてかしずかれ、親に甘える時間をあまり持たずに育ってきた沙姫は、サラセニアのおかれた状況が、他人《ひと》ごとには思えなかった。

「じゃあね」

「お姉ちゃん。次、いつ来るの？」

「一時間後に晩ご飯を持ってきますよー」

廊下のお静が声をあげた。

「そ、そうなんだ……よかった」

☆

御門診療所の食堂は、ナースステーションと配膳室《はいぜん》を兼《か》ねている。

「アリゲーター星人のサルコスクスさんは晩だけで朝と昼は食べません。骨つきお肉に水ですぅ。アスター星人のアステラルさんは果物《くだもの》ばかりです。柑橘《かんきつ》系がお好みですが、お好きなものばかりではなく、バランス良く食べていただくようにしています」

先輩ナースのアドバイスを聞きながら、三人のアルバイトナースが神妙な面《おも》もちでメモを取っている。

「複雑ですね。沙姫様……」

凜がため息をついた。

「この書類に、今日のメニューが書いてあるので、それを見ながらそろえていけばすぐですよぉー。ぜんぜーんむずかしくありませんっ」

お静がすかさず答える。

入院患者は四人だが、いろんな星から患者が来ているために、病院食は多種多様だ。食事の用意だけで大変そうだ。

サラセニアのトレイには、メープルシロップが小さなコップに半分ぐらいと、オレンジジュースの二百ccパックが一個のっている。

沙姫はお静に聞いた。

「サラセニアちゃんのご飯、これだけですの？」

「いつもこんなですよぉ。サラセニアちゃんはほとんど食べないんですぅ。甘い樹液《じゅえき》とか果物のジュースが好きですね」

メープルシロップは楓《かえで》の樹液だ。

「見せてくださる？」

お静の見ている書類を受け取り、目を走らせる。たしかに書類の指示の通りだ。

――シャンブロウ星人の食事って、こういうものなのかしら。

釈然《しゃくぜん》とせず首をひねっていると、背後から声がかかった。

「サラセニアちゃんは夕ベレーヌ病なのよ。地球人でいうと拒食症に当たるかしらね」

「御門先生」

診療所は自宅でもあるのでくつろいでいるのだろう。下着姿に、白衣をガウン代《が》わりに羽織《はお》ったしどけない格好《かっこう》だ。

白衣の前から、縦長《たてなが》のおへそとブラジャーに隠された真っ白なふくらみがのぞいていて、どきんとするほど女っぽい。沙姫は思わず目をそらした。

「シャンブロウ星人は食虫植物なの。ほら、地球にもいるでしょう。ウツボカズラとか、モウセンゴケとか。樹液だけではなく、動物の体液も吸うのよ。そうね、種《しゅ》としてはハエトリソウに近いわね」

「え？　それって、肉食《にくしょく》ってことじゃ？」

綾が逃げ腰になる。

「だいじょうぶよ。地球人の体液は苦《にが》くてマズイらしいの。ほかにおいしいものがいっぱいあるのに、マズイものをわざわざ食べたりしないわ。靴《くつ》が食べられることを知っていても、靴を食べる地球人はいないでしょ？」

「それもそうですわね……」

靴扱《あつか》いは不愉快だが、それを聞いて少しだけ安心する。

「サラセニアちゃんはストローでジュースを飲んでいるけど、シャンブロウ星人は本来、髪の触手《しょくしゅ》で血を吸うの。でも、サラセニアちゃんは病気だからそれができないのよ。生まれつき、ダメなんですって」

「栄養失調にならないんですの!?」

「シャンブロウ星人は、光合成《こうごうせい》ができるの。あの病室にいて光を浴びているだけで、サラセニアちゃんは栄養を取れるのよ」

「あの病室、明るすぎると思っていましたわ」

「天井《てんじょう》に電気がたくさんついていたでしょ。太陽光線のうち、光合成を促進《そくしん》する光を放つ電球なのよ」

「御門先生は、光合成で取れる栄養量を倍増させる研究の第一人者なんですよ。銀河広しといえども、御門先生以外にこの治療はできないそうで、サラセニアちゃんは遠い星雲からわざわざやって来られたそうですぅ」

「御門先生はすばらしいドクターなのですね」

御門先生がため息をついた。

「ほんとうは触手から栄養を取れるのがいちばんいいのよ。そのほうが自然だし、光合成だけだと天気の悪い日に具合が悪くなってしまうわ。部屋の中から出られないというのも不便だし。沙姫さん。綾さん。凜さん。サラセニアちゃんの世話をよろしくね」

「村雨さんではダメなんですの?」

沙姫は遠慮がちに聞いた。

お静は四百年前に死んだ幽霊で、御門先生の作った精巧な人形に憑依《ひょうい》して動かしている。人工体《バイオロイド》の彼女なら、体液を吸われる心配はないはずだ。

「私はおっちょこちょいですぐ魂《たましい》が抜けるので、サラセニアちゃんの世話ができないんですぅー。サラセニアちゃんは、癇癪《かんしゃく》を起こすと触手を出しますから。それに、私、前にサラセニアちゃんの触手に襲《おそ》われたとき、びっくりして念力《ねんりき》出しちゃって、サラセニアちゃんに嫌われてしまったんですぅ」

三人の主従は顔を見あわせた。

綾と凜は、不安そうな表情で沙姫を見ている。

沙姫には、友人たちの気持ちが理解できた。辞退したほうがいいのではないかと言いたいのだ。

——どうする。沙姫。辞《や》める？　続ける？

沙姫は自分に問いかけた。

沙姫は、校長室のメイドをたったの五分で辞めたばかりだ。次のバイトがすぐに見つかるとは限らない。

サラセニアはこう言った。

『お姉ちゃん。次、いつ来るの？』

——辞めるのは卑怯《ひきょう》ですわ。

——それに、家訓《かくん》は達成しなければなりませんわ。沙姫っ!!

「天条院さん。イヤならムリしなくていいわよ。地球人にはむずかしいかもしれないわね」

御門先生が言うと、お静はコクコクと何度となくうなずいた。

「イヤだなんて思ったことありませんわ。サラセニアちゃんはかわいい女の子ですわよ。それに、ナースクイーンの私《わたくし》にできないことなどありませんわっ。ほーっ、ほほほっ」

沙姫は手の甲を口に当て、笑声を放った。

綾も凜も、やっぱり、というふうにため息をついている。

長いつきあいの二人は、沙姫の性格を知り抜いているのだ。

「村雨さん。ナースの仕事、教えてくださる？　やるからには完璧《かんぺき》にしたいんですの。御門先生、サラセニアちゃんの食事や検温、私にさせていただきたいんですの。よろしくて？」

「もちろんいいわよ」

御門先生は満足そうに笑った。

☆

「沙姫様、お持ちします」

「よくてよ。私《わたくし》が持ちます」

「ですが、お嬢様、重いですから……」

「私が持ちたいのです」

「はっ。失礼しました」

きっぱりと言うと、リムジンの運転手が帽子《ぼうし》を脱《ぬ》いで謝罪し、居住《いず》まいを正した。

沙姫は、ぬいぐるみやお人形がはみでた段ボール箱をいかにも重そうに抱《かか》えている。絵本がたっぷり入った段ボール箱は重く、沙姫の手には余る。運転手が心配するのもムリはない。

「お嬢様、お迎えは八時にここでよかったでしょうか」

「そうよ。いつもありがとう。お願いしますわ」

沙姫は、段ボール箱を揺すりあげながら、御門診療所の建物を見た。

不安のせいか、黒々としたモヤがどよよーんとたゆたっている気分になる。

綾と凜が、さりげない仕草《しぐさ》で沙姫の後ろに立つ。二人とも、硬い表情を浮かべている。

運転手とのやりとりを聞いていた彼女らは、荷物を持とうと言いださない。沙姫の頑固《がんこ》さを知っているからだ。

「行きましょう」

「はい」

「ええ」

沙姫はおつきの友人たちを従えながら、診療所の門をくぐった。

三人の主従の背後を、リムジンが走り去っていった。

☆

「サラセニアちゃん。こんにちは」

沙姫は、ドアの隙間《すきま》から、腕人形をにゅっと突きだした。

クマのぬいぐるみの姿をした腕人形は、中が空洞《くうどう》になっていて、顎《あご》のところに指を入れて動かすと、おしゃべりをしているみたいに口が動く。

「ごきげんいかが?」

「お姉ちゃんっ」

「ブブー! 私《わたくし》はクマちゃんです〜」

沙姫は子供番組の歌のお姉さんのような声音《こわね》を使いながら、ドアの隙間から身体《からだ》を滑《すべ》りこませるようにして、そうっと病室に入った。

「やっぱりお姉ちゃんだーっ」

ベッドの上で、退屈そうに絵本を見ていたサラセニアが、腕人形を左腕につけたナース服の沙姫を見て、パッと顔を輝かせた。

少女の髪が、うれしそうにサラサラ揺れる。風もないのに揺れる緑の髪はどこか不気味で、沙姫の背後に控えている綾と凜が逃げ腰になっているのがわかる。

「お姉ちゃん、もう検温の時間なの？　まだ四時よ」

「検温の時間はまだだけど、体温を測《はか》らせてね」

サラセニアが不審《ふしん》そうな表情を浮かべたことを見てとって、すかさず言う。

「……そのまえにむぎゅっ、しようか」

沙姫は、ベッドの上の少女を抱きしめると、くるくると振り回した。

サラセニアはお腹をくすぐられた赤ちゃんのように、きゃあきゃあと笑った。

——かわいいっ!!　すごくかわいいっ!!

少女の無邪気《むじゃき》な喜びように、沙姫までもうれしくなる。

頬《ほお》をすりすりしてから、少女をベッドの上に乗せ、体温計を取りだした。

「体温を測りましょうね。すぐだから動かないでね」

腕人形のクマにしゃべらせながら、体温計を脇《わき》の下《した》にはさみ、体温を測る。

「平熱ね。……具合はどう？」

「普通よ」

「よかった。ちょっと待ってて」

沙姫は、いったん退室すると、廊下に置いておいた段ボール箱を引きずって部屋に入った。

「これね、絵本とぬいぐるみなの。着せ替え人形もあるわ。私が子供のころに使っていたものだから、お古《ふる》で悪いのだけど」

段ボール箱のいちばん上のウサギのぬいぐるみを右手で持ち、左手の腕人形のクマと会話させる。

「ウサギさん。今日の天気はいかがですか？」

「晴れですよー。お天気がいいとうれしいです。私はお日様が好きです。クマさんは何が好きですか？　ぴょんぴょん」

ウサギのぬいぐるみを前後に振って飛《と》び跳《は》ねる仕草《しぐさ》をする。

「サラセニアちゃんが好きです」

沙姫は腕人形の中で指を動かして、クマのおでこで少女のおでこをスリスリした。

歓声《かんせい》をあげて笑ってくれることを期待していたのだが、サラセニアはきょとんとした顔をしている。

——あら、失敗したかしら？

愛らしい顔がクシャッと歪《ゆが》み、髪の毛がザワザワ揺れる。

少女の大きな瞳《ひとみ》から、涙がぽろっと落ちた。

「えぐっ、ぐすぐすっ、しくしくっ」

サラセニアは両手で顔を覆《おお》ってしゃくりあげた。

沙姫はおろおろしながら少女に聞いた。

「ご、ごめんねっ。サラセニアちゃん。どこか痛いの⁉」

「ど、どこも……ひくっ、い、痛くないよ……っ‼」

「私、何か悪いことしたかしら？」

「ち、違うよ。クマちゃんが、クマちゃんがその、わ、私を好きだって、い、言ってくれたからっ‼　……えええーんっ」

堰《せき》を切ったように、少女は盛大に泣きだした。

手の甲で涙を拭《ふ》きながら、えぐえぐとしゃくりあげる。

——この子、クマちゃんに好きだって言われたのが、うれしかったのね……。

沙姫には、愛情を注《そそ》いでくれる人がたくさんいた。使用人たちは沙姫をやさしく見守ってくれたし、父親は無償《むしょう》の愛を、友人たちは信頼を沙姫にくれた。

だが、この子はひとりで入院している。

沙姫は少女を抱きしめた。

自分まで泣いてしまいそうになる。

涙でどろどろの少女のほっぺたに、自分の頬を当ててささやく。

「お姉ちゃんね、サラセニアちゃんが好きよ」

「ほ、ほんと？　私を好き？」

「そうよ。大好きっ!!」

沙姫の手を握《にぎ》ってきた少女の手を、自分の頬に押し当てる。

「えへへっ」

少女は、とろけそうな笑顔を浮かべた。うれしくてならないとばかりの笑《え》みに、サラセニアの淋しさが垣間《かいま》見《み》え、胸が痛くなってしまう。

「絵本とぬいぐるみ、並べておくね」

ブックスタンドに絵本を並べ、ぬいぐるみを枕もとに置く。

電球がしらじらと照らす寒々しい病室が、ぬいぐるみをいくつか置いただけで暖かい雰囲気に変わっていく。

「元気なら、お出かけしようか？」

「お出かけ？」

「そうよ。いまは夕陽《ゆうひ》の時間だし、お日様がいっぱいよ。公園までお散歩して日光浴よ。御門先生の許可は取っているわ。先生も、お日様を浴びるのはいいことだっておっしゃっているの」

「わっ。うれしいっ。私、病室から出るの、はじめてよ」

——ずっと病室だったのね。かわいそうに。

ナースはびっくりすると魂《たましい》が抜けるお静ひとりで、しかも彼女は高校生でもある。サラセニアの外遊びにつきあう余裕は逆《さか》さに振ってもなかったのだろう。

「サラセニアちゃん、お着替えはどうしますか？」

腕人形のクマにしゃべらせると、サラセニアが得意そうな顔をした。

「入院するときに着てきた服があるの。かわいい服よ」

「着替え、手伝ってあげるね」

「お姉ちゃん、子供扱《あつか》いしないでよー。着替えぐらい、ひとりでできるもん。私、大人《おとな》だもーんっ」

サラセニアは、頬をふくらませると、ぷいっと顔を背《そむ》けた。

「はいはい」

——なんだかこの子、憎めないわね。

沙姫はくすぐったい気分で笑顔を浮かべた。

☆

「わーっ。鳥さんがいっぱいだーっ」

サラセニアが両手を広げて走っていくと、誰かが撒《ま》いたらしいパンくずをつついていた鳩《はと》が、いっせいに飛びあがった。

電線や近くの木々にとまった鳥たちは、未練たらしげに路上を見ている。少女が走り去ると同時に、鳥たちがまた降りてきて、パンくずをつつく。

「わーっ」

その鳥をまたサラセニアが追う。

「いいお天気ですわね」

「日焼けしそうだな」

「眼鏡《めがね》のアトが残りそうです」

サラセニアがはしゃぐあとを、少し遅れて沙姫主従が雑談しながら歩いていく。

先を歩くサラセニアが沙姫のもとへと戻ってきた。夕陽《ゆうひ》に照らされて、頬《ほお》がピンクに光っている。彼女が従えている影が黒く長い。

少女は、沙姫の手をキュッと握《にぎ》ってひっぱりながら、もう片方の手でブランコを指差す。

「お姉ちゃん。ブランコするのっ」

「はいはい。押してあげるね」

「お姉ちゃん。子供扱《あつか》いしないでよ。私、自分で漕《こ》げるもん。お姉ちゃんもブランコに乗るのっ!!」

——あらら、この子、けっこうわがままですわ。でも、サラセニアちゃんみたいなところ、私《わたくし》にもありますわね。

自分と似た行動をする子供を見ていると、自分の欠点を強調されているようで、甘酸《あまず》っぱい気分になる。

沙姫は、サラセニアの隣りのブランコに腰を下ろし、ブランコを漕いだ。

「ブランコなんて何年ぶりかしら」

目立つナースキャップは外《はず》しているし、ピンクのナース服は、きっちり前をとめたコートに隠されている。親戚《しんせき》の子供と遊ぶお姉さんにしか見えないだろう。

「お姉ちゃん、仕事しなくてだいじょうぶなの？　お静さん、いつもいそがしがっているよ」

日光の下にいるので当然かもしれないが、サラセニアは元気いっぱいだ。ナマイキそうな口調で聞く。

「いいのよ。サラセニアちゃんと遊ぶほうが大事だもの」

「へへーんっ、お姉ちゃん、お静さんみたいに仕事できないんだーっ」

「失礼ですわね！　そんなことなくてよ。私は何だってできますわ」

沙姫は、ムッとした口振りで言った。

——いやですわ。私、大人《おとな》げなくてよ。子供の言うことですのよ。ムキになってどうするのよ。

サラセニアは、わざと怒らせるようなことを言って、沙姫を試している。

——私もそうでしたわ。子供のころは、わがままを言ってお父様を困らせたのよ……。お父様が仕事にお出かけされるのを、わざと引《ひ》き留《と》めたりしたのよね。

子供のころの沙姫は、父の責任がどれほどのものかわかっていなかった。

父の双肩《そうけん》に、何億人もの従業員の生活がかかっているなんて知らなかったのだ。

「だったら私の相手なんかせずに、お姉ちゃんは仕事すればいいじゃない？」

サラセニアはからかう口調で言った。

——私も同じこと言ったわね。

いそがしい父が、沙姫の誕生日パーティに出席してくれたのに、仕事の電話で中座したことが腹立たしくなり、イヤミを言ってしまったのだ。

——お父様、おいそがしいのでしたら、私のパーティなんか出席されずに、お仕事をされたらよろしくてよ。

父はあのときこう答えた。

——仕事は大事だ。だが、私には、沙姫の誕生日会のほうが、仕事よりも大事なのだよ。

大好きな父に、仕事よりも娘のほうが大事だと言ってもらえたとき、沙姫はとてもうれしかった。

「私にはサラセニアちゃんのほうが、仕事よりも大事なのよ」

サラセニアはきょとんとした顔をしたあと、甘い笑顔を浮かべた。

「えへへ。お姉ちゃん、好き〜っ」

「お姉ちゃんもサラセニアちゃんが好きよ」

ブランコを勢いよく漕ぐたびに、黒い影が長くなったり短くなったりを繰《く》り返《かえ》す。

☆

「沙姫様には驚かされる。まさか沙姫様にあのようなところがおありとは」

凜がびっくりした口調で言った。

「でも、沙姫様は、いじめられていた私を助けてくれた……」

綾が言った。

「ああ、そうだったな……。沙姫様が棒を振り回して、いじめっこを追い払ったんだった」

それは三人が、サラセニアよりも幼かったころのこと。

綾は子供のころからずっと近視で、度の強い眼鏡《めがね》をかけている。気が弱く、運動神経が鈍《にぶ》く、よく転ぶ。

そんな綾は、いじめっこの格好《かっこう》のターゲットだったのだろう。

小学生の男の子たちにいじめられ、困って泣いていた小さな綾をかばったのが、これまた子供の沙姫だった。

あの寒い日の公園の光景は、今でもはっきり覚えている。

「何をちているの‼　弱いものいぢめは許せなくてよっ‼」

棒を振りあげ、自分より頭ひとつ大きいいじめっこたちに向かっていった沙姫を、凛はヒヤヒヤしながら見守った。護衛役ではあるものの、沙姫はですぎたマネを嫌うからだ。

そして沙姫は、いじめっこを叩《たた》きのめしたのである。

それ以来、綾は沙姫に心酔《しんすい》した。

お嬢様はプライドのカタマリで負けん気が強い。勇気があり、自己主張も激《はげ》しい。そのため、彼女をわがままだと思っている人も多いことだろう。

だが、沙姫はやさしい。誰よりもやさしい。お嬢様だからすべてにおいて鷹揚《おうよう》で、お嬢様なのに、他人の立場に立って考えることができる。

「沙姫様らしいな」

「うん。私もそう思う」

☆

沙姫はサラセニアを膝《ひざ》の上に座らせて、絵本の読み聞かせをしていた。子供のころ、沙姫が好きだった童話だ。

拒食症の食虫植物少女の体重は軽く、膝の上に座らせていてもあまり重さは感じない。

「王子様とお姫様は幸せに暮らしました。めでたしめでたし」

絵本を閉じようとしたとき、かくんと少女の顎《あご》が落ちた。

「サラセニアちゃん？」

すうすうと寝息が聞こえる。

沙姫の読み聞かせを子守歌に、サラセニアはとうに眠っていたらしかった。

沙姫はサラセニアの肩と膝の下に腕を回し、彼女をそうっと抱きあげた。

ベッドに寝かせ、布団《ふとん》をかける。

異星人とはいうものの、寝ている姿は地球人の子供と大差ない。愛らしい寝顔に見とれてしまう。

——かわいいらしい寝顔ですこと……。妹ってこんな感じなのかしら。私、ひとりっこで淋《さび》しくて、妹が欲しかったんですわ。あと三日でバイトは終わり……淋しいですわね。どうしようかしら。

御門診療所でのアルバイトナースをはじめて、ちょうど一週間が経過した。サラセニアはすっかり沙姫になついていて、お姉ちゃんお姉ちゃんと甘えてくる。

晴れた日は公園で遊び、雨の日は病室で人形遊びをする。そして、寝る前に絵本の読み聞かせをする毎日が続いていた。

そっと電気を消し、病室を出る。明るすぎるところから、普通の光度のところに出たせいか、目がくらんだ。

——ああ、もう、目がパシパシしますわ……。

強い電灯の下で文字を読むのは、目が疲れる。手の甲で目をこすっていると、廊下で待機していた綾と凜が、沙姫に向かっておじぎをした。

「沙姫様、御門先生がお話があるそうです」

「何かしら？　食堂に行けばよろしくて？」

そのとき、足音がして、御門先生が歩いてきた。下着の上に、ガウン代《が》わりに白衣を羽《は》織《お》っている。白衣の前からのぞく白い肌《はだ》がなまめかしい。

御門先生は、しどけない様子《ようす》で髪を掻《か》きあげながら言った。

「天条院さん。サラセニアちゃんと仲良くなりすぎないでね」

「どうしてですの!?　サラセニアちゃんの相手をするために、私《わたくし》を雇《やと》ったのではなくて？」

「天条院さんは、あと三日でバイトを辞《や》めてしまうでしょう？」

「いいえ、私はサラセニアちゃんが入院している間は、ずっといます。バイト代はいりませんわ」

「バイト代の問題では……いえ、でも……そうね。あんまり親しくなりすぎると……ううん、なんでもないの。忘れてね」

御門先生は煮《に》え切《き》らない口調で言うと、はぁ、とため息をついた。

医者という人種にありがちなことだが、御門先生は物腰はやわらかいがきっぱりした口調を好む女性だ。こんな言い方、先生らしくない。

「とにかくあまりサラセニアちゃんと仲良くしないでね。天条院さんのアルバイトの契約を更新《こうしん》するかどうかは保留にします」

「わかりましたわ。失礼してもよろしくて？　迎えが来る時間ですの。運転手を待たせてしまいますわ」

「いいわよ」

沙姫は御門先生の横を通り過ぎた。綾と凛があとに続く。

――その通りですわね。サラセニアちゃんは私の妹ではなくてよ。ずっと一緒にいられるわけじゃないんですわ……。

早いか遅いかの違いだけで、別れの日はいつかやってくる。

――たしかに、お別れすることを考えると、あまり仲良くしすぎないほうがいいのでしょうね。

――だったら、私はどうすればいいのかしら。どうすればサラセニアちゃんのためになるのかしら？

☆

青いツナギの地球人たちが、サラセニアの病室に巨大な段ボール箱を運び入れた。作業員たちの背中には、電器店のロゴが入っている。

「お客様、こちらでよろしいですか？」

「よくてよ。サラセニアちゃん、ちょっと待ってね」

作業員たちは、てきぱきとテレビをセッティングしていく。

パジャマ姿でベッドに座り、ぬいぐるみを抱きしめているサラセニアが、いそがしそうに働く地球人たちを珍しそうに眺《なが》めている。

さすがプロというべきか、電器店の店員たちは、あっという間にテレビのセッティングを終えてしまった。

壁の半分ほどを覆《おお》う液晶テレビの下には、黒いＤＶＤプレーヤーがちんまりと納《おさ》まっている。

「テレビとＤＶＤよ。サラセニアちゃん童話が好きだから、童話のアニメを見られるようにと思ったの」

「これがリモコン。こっちが保証書です。ハンコお願いします」

「サインでもいいかしら」

「もちろんですよ」

沙姫は、天条院と書いてマルで囲んだ。

「ご苦労様」

「ありがとうございました」

「あらあら何の騒ぎなの？」

病室を出ていく店員たちと入れ違いに、御門先生があらわれた。

テレビを見て目を丸くしている。

「こんな大きなテレビ、どうしたの？」

「私《わたくし》のお小遣《こづか》いで買ったんですのよ。サラセニアちゃんへのプレゼントです」

「あらそう。だったらサラセニアちゃんが退院したときは、銀河宅配便でシャンブロウ星に送らなくてはならないわね」

「私、私、帰らないもんっ!! お姉ちゃんと一緒がいいんだもんっ」

サラセニアが、抱きしめていたぬいぐるみを壁に向かって投げつけ、じたんだを踏む。

髪の毛がザワリと揺れ、バサッと音をたてて触手《しょくしゅ》が伸びる。

癇癪《かんしゃく》を起こす寸前だ。

——危ないわっ!!

沙姫はベッドサイドのクマちゃん腕人形を取り、左手にはめた。

「クマちゃんはサラセニアちゃんが好きです。でも、サラセニアちゃんの家族も、サラセニアちゃんが好きです」

淋《さび》しいのはサラセニアだけではないと言いたいのだが、上手《うま》い言葉が見つからない。口ごもっていると少女が聞いた。

「お姉ちゃんは私が好き?」

「ええ、好きよ。大好き」

「私もお姉ちゃんが好きーっ」

サラセニアは沙姫のナース服のお腹《なか》に抱きつき、顔をスリスリしてなついた。痼癪が治まったことを示すように、髪がサラサラに戻っている。

「お姉ちゃんはずっと私と一緒にいてね。ずっと、ずっとよ」

沙姫は黙りこんだ。返事ができなかったのだ。

しばらく考えて、声を絞《しぼ》りだす。

「ええ、一緒にいるわ」

サラセニアの気持ちをなだめたくて言ったやさしいウソは、刃《やいば》のように沙姫の胸を切《き》り裂《さ》いて、返す刀で現実を突きつけた。

苦《にが》い粒《つぶ》でもかみ砕《くだ》いたように、後悔《こうかい》が胸に広がる。

——ムリですわ。ずっと一緒なんて、ムリですのよ……。

☆

「天条院さん、いままでありがとう。アルバイトは今日で終わりです。ご苦労様」

御門診療所の食堂で、先生にきっぱりと言われ、ナース服に着替えたばかりの沙姫は黙りこんだ。

気を取り直して理由を聞く。

「どうしてですの？」

「私の忠告を聞いてくれなかったからよ」

「距離を置いたつもりでしたわ」

「そうかしら。いままでにも増して、サラセニアちゃんを甘やかしているように見えたわ。ほんとうの姉妹みたいだったわよ」

――それはあるかもしれませんわね。

沙姫はムキになるタイプだ。自分が夢中になっていることを否定されると、よけいにムキになってしまい、脇目《わきめ》も振らずに突っ走る。それは沙姫自身もわかっている。

「だからテレビをプレゼントしたんですの。サラセニアちゃんの興味が、私《わたくし》以外にも向くようにしたつもりですのよ」

「サラセニアちゃんね、天条院さんが学校に行っているときはＤＶＤを見ているけど、天条院さんが来たらアニメを切るのよ」

「どうして仲良くしてはダメなんですの。理由を教えていただきたいわ」

「種《しゅ》が違うからよ」

「それは知っていますわっ」

「天条院さんはほんとうに知っているのかしら。シャンブロウ星人は、その気になればあなたの血だって吸えるのよ。天条院さんを、ミイラにすることだってできるのよ」

「御門先生のおっしゃることとは思えませんわ」

先生は、彩南高校の誇る美人校医で……そして異星人だ。

異星人を差別するなんて、らしくない。

「契約を更新《こうしん》しないというだけよ」

「だったら私、毎日お見舞いに来ていままでと同じことをしますわ！　私はサラセニアちゃんの友達ですもの!!」

沙姫は一歩も引かないという迫力で言い切った。

「しかたないわね。そうしてください。サラセニアちゃんに今日で辞《や》めること、言ってくださいね」

御門先生は顎《あご》に手を当て、不安そうにため息をついた。

☆

沙姫はサラセニアの手を引きながら、公園への道を歩いていた。陽《ひ》が傾いて、伸びた影がくっきりと黒い。沙姫は昼間高校に通っているから、サラセニアとの外遊びは、夕方の陽の暮れるころになってしまう。

年齢の離れた姉妹のような二人のあとを、綾と凜が歩いている。

沙姫は左手に、クマちゃん腕人形をつけたままだ。

——サラセニアちゃんと一緒に遊ぶのも、今日で終わりなのね……。

夕陽が少女の髪を照らし、キラキラと輝いている。

この美しい緑の髪が、うごめきながら触手《しょくしゅ》を伸ばし、生き物を襲《おそ》って体液を吸うなんて信じられない。

「やっぱりお外は気持ちがいいね」

「そうね」

「日光浴って好き。光合成《こうごうせい》ができるし、元気になるもん」

サラセニアが言った。スキップするような軽い足どりで沙姫の横を歩いていく。

三歳ぐらいの男の子が、母親に手を引かれて帰っていく。幼児は、手に砂遊びのバケツを持ち、母親に向かってさかんに話しかけている。

サラセニアは、仲良さそうな母子をうらやましそうな視線で眺《なが》めながらひとりごちた。

「いいな、あの子は、お母さんと遊べて……」

沙姫は、サラセニアの目線にしゃがみこんで言った。

「公園、貸し切りね」

「ほんとねー。誰もいないねーっ。お姉ちゃんと私だけの公園だねー」

夕方四時という時間は、公園で子供たちを遊ばせていた母親が家に帰り、晩ご飯を作りはじめるころあいだ。

おだやかな夕陽に照らされた公園は、風が梢《こずえ》を揺らす音をＢＧＭに、ほんわかした空気に満ちている。

——いまなら言えるわ。

サラセニアは落ち着いていて、機嫌《きげん》がいい。病室で触手を出されるより、屋外のほうが安全だ。それに、いま、公園には誰もいない。綾と凛は後方を歩いている。彼女が癇癪《かんしゃく》を起こしても、巻きこまれるのは沙姫だけだ。

「サラセニアちゃんにお知らせがありまーす」

沙姫は、クマちゃん腕人形を操作しながら言った。

「お姉ちゃんは、今日でナースを辞《や》めることになりました」

少女はぽかんと口を開け、沙姫が動かす腕人形を見つめている。

「お姉ちゃん……、や、や、辞めちゃう、の？」

「だけどお姉ちゃんは毎日診療所に来て、サラセニアちゃんとおしゃべりしまーすっ。だってお姉ちゃんは、サラセニアちゃんが大好……」

「ウソつきっ!!」

サラセニアの髪が一瞬で触手に変じ、ブワッと音をたてて空中を走る。

「きゃああっ!!　沙姫様、逃げてぇっ」

悲鳴をあげたのは綾だった。

「えいっ、えいえいっ」

ブラシを取りだし、地面を這《は》い回る髪に引っかけて剝《は》がすことを繰《く》り返《かえ》している。

「沙姫様っ!!」

凜が、木刀を持って走り寄った。袈裟懸《けさが》けに振り下ろす。空中を走る触手が力を失ってぱらっとほどけた。

そして、サラセニアに向かって忍者さながらの身軽な動きで走りだすが、触手に行く手を阻《はば》まれてしまう。

「サラセニアちゃんっ。落ち着いてっ」

沙姫は、足もとをうねくりながら這い回る触手のせいで動けないでいた。

触手は沙姫を襲わない。サラセニアなりに遠慮しているのだろう。

綾と凛は沙姫を守ろうとして必死だが、縦横無尽《じゅうおうむじん》に走り回る触手に阻まれ足止めされている。

触手のひとつがブランコに絡《から》みつき、根ごと引き抜かれて横倒しになった。もうもうと土煙があがる。

シャンブロウ星人の圧倒的なパワーを見せつけられ、さすがの沙姫も悲鳴をあげた。

「きゃあああぁ。サラセニアちゃん、やめてぇっ!!」

「お姉ちゃんもお母さんとおんなじだ。私を捨てるんだ。血を吸えない私をやっかいもの扱《あつか》いして、地球なんて僻地《へきち》に入院させたみたいに!!」

髪の触手がジャングルジムにかかった。

ジャングルジムがみしみしと音をたてながら引き抜かれていく。そして、その横では、滑《すべ》り台《だい》がジワジワと空中に浮かびはじめた。

沙姫は悲鳴をあげた。

「およしなさいっ。子供たちが遊ぶ公園なのよ。そんなこと許せなくてよっ‼」

だが、サラセニアは容赦《ようしゃ》しなかった。

滑り台とジャングルジムをひっくり返したあと、砂場の砂をすくいあげて砂場のまわりにふりまいていく。

子供のオモチャは全部つぶさずにはおかないとばかりの迫力だ。

サラセニアは、母親と遊ぶ地球人の子供を見て、うらやましく感じていたのだろう。

「落ち着きなさいっ」

沙姫は、足もとでうねくる触手を避《よ》けながらサラセニアに歩《あゆ》み寄《よ》った。

血相《けっそう》を変えて髪を振り乱しているサラセニアは不気味だった。

――怖《こわ》い……。

沙姫はひるんだ。

――怖がっちゃダメッ。私は天条院沙姫ですわっ‼　天条院劉我の娘なのよっ。

両手を伸ばし、少女をぎゅうっと抱きしめる。

「私《わたくし》はサラセニアちゃんが好きよ」

触手がいっせいに動きを止めた。

「みんなサラセニアちゃんが好きなのよ」

サラセニアは沙姫を突き飛ばすと、ふふっと笑った。

幼いころの沙姫を思わせるナマイキな表情を浮かべている。

「ウソつきのお姉ちゃん。体液、吸ってあげようか。シャンブロウ星人は吸血植物なのよ。お姉ちゃん、シワシワのおばあちゃんになって死んじゃうかもよ」

伸びてきた触手が、沙姫の首だのおっぱいだのをなぶりはじめた。首と双《ふた》つの胸のふくらみ、お腹《なか》や下腹部に巻きついていく。

――震えちゃダメですわっ。沙姫っ。

天条院の人間は、どれほど苦しくても泰然《たいぜん》としていなければならない。使用人を不安にさせないためだ。これも天条院家に代々伝わる家訓《かくん》のひとつだ。

沙姫は、意志の力を総動員して笑顔を浮かべた。

「いいわよ」

「え、沙姫様っ、おやめくださいっ」

「沙姫様っ!?」

「ふんっ、どうせ私なんか、血が吸えないって思ってるんでしょっ!!」

凜と綾が沙姫の名を呼び、サラセニアがじたんだを踏んで怒りまくる。

「吸ってもいいわよって言ってるの」

沙姫は少女を再び抱きしめながらささやいた。

「ウソつき、嫌いっ。お姉ちゃんなんかウソばっかりだっ。大嫌いっ!!」

「いいのよ。吸えるなら吸ってみなさい。でも、シワシワはいやだから、ちょっとだけにしてね」

沙姫の身体《からだ》を這い回っていた触手が、スルスルと引いていく。

沙姫は抱擁《ほうよう》をほどいた。

「ふんっ、私に吸えるわけがないじゃない？　私、私、タベレーヌ病なんだもん……」

サラセニアの瞳《ひとみ》からポロポロと涙が落ちる。

「……どうして私はシャンブロウ星人なのかなぁ。ほかの生き物の体液を吸わなきゃ生きていけないなんてイヤだよぉ。……地球人になりたかったなぁ。お姉ちゃんの妹になりたかった。お母さんと一緒に、公園で遊びたかった……」

「みんなそうよ。食べなきゃ生きていけない。ほかの生き物の命を奪《うば》って生きてるのよ」

静かな声が響《ひび》いた。

騒ぎを聞きつけてやってきたらしい御門先生が、白衣のポケットに両手を突っこんで立っていた。

保健室で病気の生徒に向きあうときと同じ、おだやかな笑顔を浮かべている。

「地球人だって同じなのよ。……ね、天条院さん」

「ええ、その通りですわ。私は魚やお肉に感謝しておいしくいただき、百年だって生きてあげるつもりよ。だって私以上に美しく優秀な人間はいないのですから。私は地球の、いいえ宇宙の財産なのですものっ！」

沙姫は手の甲を口に当てると、高笑いをはじめた。

「ほほほっ、ほほほーっ、ほーほほほーっ」

顔を仰《の》け反《ぞ》らして笑う沙姫を、オレンジ色の夕陽《ゆうひ》が鮮《あざ》やかに照らしている。

「沙姫様らしいな」

「ほんとね」

凜と綾が話している。

お嬢様のほほほ笑いが収《おさ》まり、公園は静まりかえった。

サラセニアは笑っているような泣いているような表情で沙姫を見ている。

沙姫は、少女に向けて手をさしのべた。舞踏会《ぶとうかい》でお姫様が王子様に向かって手をさしのべるような、そんな優雅《ゆうが》な手つきだった。

「吸えるなら吸ってみなさい。……私の血は宇宙一おいしいですわよ」

植物少女の髪がゆらめき、一本の触手が沙姫の手の甲に密着する。

ひんやりした感触が、チリッとした痛さに変わった。

「……っ!!」

沙姫は、眉根《まゆね》を寄せ、血を吸われる苦痛に耐《た》えた。

サラセニアは、あれ？　という表情をして、ぽかんと口を開けている。そしてはしゃいだ声をあげた。

「い、いま、吸えた？」

「そうね。サラセニアちゃん、吸えましたわね」

手の甲に吸いついていた触手が離れた。虫に嚙《か》まれたように痕《あと》が赤く残っている。

「ほ、ほんとだ……。吸えた、吸えたよーっ」

「すごいじゃない。サラセニアちゃんっ!!」

沙姫は少女の両手を握《にぎ》ると、ダンスのように飛《と》び跳《は》ねた。

サラセニアは顔をしかめて空吐《からは》きした。

「うーっ。ぺっぺっ。苦いよぉーっ、マズイよぉーっ。ぺっぺっ」

「失礼ねっ!!」

沙姫は腕組みをして胸を反《そ》らす。

サラセニアの触手が伸びて、公園の隅《すみ》に植えられた木についた。

病院で医師が使う聴診器《ちょうしんき》みたいだ。

「あーっ、おいしい。すごく甘い……。あー、幸せーっ」

食虫植物なのに、触手から血が吸えなかった彼女が、樹液《じゅえき》を吸ってうっとりしている。

「サラセニアちゃん、タベレーヌ病が治《なお》ったのね」

御門先生が、白衣のポケットから、銀河仕様《しよう》ケータイを取り出した。

先生はケータイに向かって異星語で話しかけると、すぐに電話を切った。

「サラセニアちゃん。すぐにお迎えの車が来るそうよ」

「お迎え？」

沙姫は周囲に視線を走らせた。

太陽が翳《かげ》り、周囲が暗くなった。

――困ったわ。サラセニアちゃん、光合成ができなくなるじゃないの。

そんなことを思いながら頭上を見上げたときのことだった。

空中に、直径一メートルほどの、丸い円盤状のものが浮かんでいる。

宇宙船だ。

来た。

あれがお迎えの車なのだ。

「アダムスキー型宇宙船ね」

メタリックな外壁が銀色に光るさまは重厚《じゅうこう》で、人工美を感じさせた。

形状はぜんぜん違うのに、空に浮かぶUFO《ユーフォー》を見ていると、沙姫が登下校に使うリムジンを連想した。

「きゃーっ」

綾が顔を背《そむ》けて悲鳴をあげ、凜は厳《きび》しい表情でUFOを見あげていた。

宇宙船はどんどん大きさを増していき、公園を覆《おお》い尽《つ》くすほどの大きさになった。

宇宙船が噴射をはじめた。

何千もの風船から空気が抜けるような音がして、土ぼこりが巻きあがる。

「うぷっ」

もうもうと立ちこめる土ぼこりが収《おさ》まったとき、宇宙船は手を伸ばせば届くほどの高さで停止していた。

宇宙船の下部にあるハッチが音をたてて開き、タラップが地面に伸びる。

宇宙服を着た中年女性が、タラップを駆け下りてくる。ヒューマノイドタイプの女性は、サラセニアとよく似た容姿で、緑色の髪をしていた。

その女性は、髪の毛の触手から樹液を吸ってうっとりしている自分の娘に、悲鳴のような声をかけた。

「サラセニアっ!!」

「お母さんっ」

サラセニアが、樹液をまき散らしながら触手を引いた。

そして母の胸に飛びこんでいく。

「お母さんっ。お母さんっ」

中年女性は、異星語で叫びながら、サラセニアを抱きしめて、おいおいと泣きじゃくる。

「サラセニアちゃんのお母さんは、ずっと大気圏外《たいきけんがい》で待機していらっしゃったのよ」

「大気圏外で待機」

言葉遊びみたいでつい繰り返すと、御門先生がしみじみとした口調で言った。

「大気圏外で待たなくても、ワープをすれば一時間もあれば来られるのよ。でも、お母さんは、サラセニアちゃんの近くにいたいっておっしゃったの」

「だったらなぜ、サラセニアちゃんのお見舞いに来なかったのですか？　沙姫様はサラセニアちゃんがひとりきりであることを気にしておられました」

凛が聞いた。

「私が止めたの」

「御門先生が……？」

「タベレーヌ病を治したかったの。お母さんがいると、サラセニアちゃんが甘えてしまうでしょう？」

「沙姫様をナースにしたのは？」

「天条院さんって強いでしょ。厳格な看護師が欲しかったの。でも、天条院さん、甘々のお姉さんになっちゃって、私の思惑《おもわく》と違っていたのよね」

——仲良くなりすぎないでってクギを刺《さ》したのは、それでだったのね……。

「御門先生は、沙姫様を誤解しています。沙姫様はやさしいのです。強くて、美しくて、最高の女性です」

綾がきっぱりと言うと、凜が大きくうなずいた。

「天条院さんは、きっと名医になるわね」

サラセニアはお母さんに抱きついて泣きじゃくっている。

「ふふっ、サラセニアちゃん、やっぱり子供ね。お母さんなんか嫌いって言っていたのに」

あんなにも母を嫌ったサラセニアだったが、母に抱きしめられると、わだかまりが解《と》けたらしかった。

抱きあって泣く親子を見ていると、二人のうれしさが伝わってきて、沙姫までもがうるっとなった。みんな同じ気持ちらしく、綾がもらい泣きして、凜が笑顔を浮かべている。異星人の母親は御門先生に歩み寄ると、異星語で語りかけた。両手を取り、頭をさかんに下げている。

——お礼を言っているみたいですわね。

御門先生が異星語でおしゃべりしながら、沙姫を指差す。シャンブロウ星人の言葉は、風にそよぐ梢《こずえ》のような、耳ざわりのいい音だ。

母親が沙姫のほうへと歩み寄る。

綾は怖そうに後ずさりし、凜は沙姫を背中で守ろうとしたが、沙姫は凜を押しとどめた。ぐっと我慢して差しだされたシャンブロウ星人の両手を取った。温かいしなやかな手の感触は人間とまったく同じだ。

早口の異星語が語りかけてくる。興奮のあまり地球語が出ないようだ。サラセニアが通訳した。

「お姉ちゃん。お世話してくれてありがとう、ってお母さんが言っているの」

「いいえ。私、何もしてなくてよ。お世話になったのは私のほうよ」

謙遜《けんそん》ではなく、これは彼女の本音《ほんね》だった。

沙姫がどれほど父や友人たちに愛されて育ってきたのか、確認することができたのは、サラセニアと過ごした十日間のおかげだ。

「お姉ちゃん。帰るね」

「えっ。もう帰ってしまうんですの!?」

「うん。お母さん、私の病気が治るまではメープルシロップと果物《くだもの》のジュースしか食べなかったから、お腹がぺこぺこなんだって。私も早くお父さんに会いたいし」

「そう、じゃ、テレビとか絵本とかは送るわね」

「荷物は銀河宅配便で送れますぅっ。私が手続きしますから」

いつの間にかやってきたお静が言った。御門先生の横に立っている。

「お姉ちゃん。さよなら。ありがとう」

「サラセニアちゃん、元気でね」

「泣かないでよ。お姉ちゃん」

「泣いてなんかいないわっ」

沙姫は腕組みをして、ツンと顎《あご》を反《そ》らした。もらい泣きしてしまったなんて恥ずかしい。

サラセニアとお母さんがタラップをあがっていく。

二人はタラップの上段で、もういちど地球人に向かっておじぎをした。

ソーダ水の栓を抜くような音がしてハッチが閉まり、手を振る二人の姿を隠した。

アダムスキー型宇宙船は、下部に丸く並んでいる排気口からシュウッと空気を吐き出すと、空に浮かびあがった。予備動作のない、なめらかな離陸だ。

沙姫はどんどん小さくなっていく宇宙船を、じっと見ていた。

めったに泣いたことのない沙姫だが、涙がぽろぽろ落ちて頬《ほお》を伝う。

「沙姫様……」

綾が沙姫の涙を見て、いたわるような声をかけた。

沙姫ははっとして、指先で涙を拭《ふ》いた。

「な、何でもありませんわっ。宇宙船が離陸したときに、ホコリが目に入ったんですわっ」

沙姫は意地を張ってツンと顎をあげた。

凜と綾は顔を見合わせてうなずきあっている。沙姫らしいと言いたいのだろう。

「沙姫様、そろそろ日が暮れてきました。戻りましょう」

「そうね、凜。でも、もう少し、ここにいさせて……」

日が落ちて、風が冷たくなってしまっても、沙姫は公園に佇《たたず》んでいた。

☆

天条院劉我《りゅうが》は、二週間ぶりに帰宅した。

天条院邸《てい》の長い廊下を歩き執務室《しつむ》に赴《おもむ》く劉我のあとを、一歩遅れて執事長の九条戒《かい》が行く。

「九条、沙姫はもう学校に行ったのか」

「はい。さきほどお出かけになったばかりです」

「そうか。入れ違いになってしまったのか。それは残念だ」

「お嬢様からプレゼントを預《あず》かっております」

「誕生日にはまだ早いが……」

「アルバイトの報酬《ほうしゅう》で、劉我様のプレゼントを買ったとおっしゃっていました」

「ああ、そうだったな。メイドをすると言っていたが、結局診療所でナースのバイトをしたのだな」

「はい。仕事内容そのものは、ナースというより保育士だったようですが。無事に終わったそうで、お嬢様は少し日焼けしてらっしゃいました」

「沙姫の仕事ぶりはどうだったのだ？　お前の娘に迷惑をかけたのではないか」

「いいえ、娘によると、お嬢様はいい保育士でいらっしゃったそうです」

戒が執務室のドアを開けた。

重厚《じゅうこう》だが機能的な執務机の上に、金のリボンで飾られた小さな箱が置いてあった。

「これが沙姫のプレゼントか」

劉我はうれしそうに目を細めながらリボンをほどき、宝石箱を開けた。白い布で裏打ちされた箱の中に、ネクタイピンが入っていた。

真珠《しんじゅ》の落ち着いた輝きを、シンプルなデザインの金細工《きんざいく》が引き立てている。

「ほお。南洋真珠だな。いい品だ」

「はい。真珠はつける場所を選ばない宝石で、宝石言葉も良いから、とお嬢様がおっしゃっていました」

「真珠の宝石言葉とは何だ？」

「富と健康、長寿だそうです」

「そうか。縁起がいいな」

天条院グループの若き総帥《そうすい》は、目尻《めじり》を下げて笑いながら、つけていたオパールのネクタイピンを外《はず》し、ひとり娘のプレゼントにつけ替える。

「お似合いでございます。劉我様」

「ああ、私の娘はセンスがいい」

「娘の凛も、お嬢様からプレゼントをいただきました。綾さんとお嬢様と三人お揃《そろ》いの指輪だそうで、フレンズリングというそうです。娘はもったいないと恐縮しておりました。メイドやコックや庭師など、お屋敷で働く皆にも、お嬢様からケーキのふるまいがあり、皆が喜んでおりました」

「沙姫は、バイト代を全部プレゼントに使ってしまったのか？」

「アルバイト代だけでは足《た》りないでしょうね。お小遣《こづか》いを使われているのだと思います」

「フレンズリングの宝石は何だ？」

「トパーズです」

「黄色の透明な石だな。宝石言葉は？」

「真実の友だそうです」

「沙姫らしいな……」

「はい。娘は幸せ者です」

「こないだまで、あんなに小さくて、お父様、お父様ってまとわりついてきたのにな。沙姫も大人《おとな》になったものだ」

「はい。私もそう思います。お嬢様は今回のアルバイトで、ひとまわり大きく成長なさいました」

「さすが私の娘だな。ははははっ、はははっ、はははははっ」

劉我は豪放磊落《ごうほうらいらく》に笑った。

さすが親子というべきか、沙姫のほほほ笑いと、よく似た笑い方だった。

戒は、細い目をいっそう細くし、柔和《にゅうわ》な笑みを浮かべている。

静かな午後に

御門《みかど》診療所の昼下がり、ナースステーションを兼《か》ねた食堂では、ナースのお静《しず》が食卓に座り、カルテにボールペンを走らせていた。

「お疲れ様。休憩《きゅうけい》にしましょう」

豊満《ほうまん》な身体《からだ》をキャミソールでつつんだ御門涼子《りょうこ》医師が、カルテの横に湯飲みを置いた。白い湯気がほんわかとたちのぼる。

「わ、先生、お茶淹《い》れてくださったんですか。ありがとうございますぅ。わー、梅干《うめぼ》し入りだわっ。うれしいっ」

「お静ちゃんは昆布茶《こぶちゃ》が好きなのよね」

御門先生は、自分も椅子《いす》に座り、紅茶のカップを傾けた。アールグレイの香気《こうき》が、かぐわしく香る。

フリルのついたキャミソールが、彼女のふっくらした白いふくらみを、いっそう引き立てている。

足を組んで座り直すと、スカートの間から、ぷりっと張った太腿《ふともも》がきわどく見えた。

お静は目を細めて昆布茶をひとくち飲んだ。

ほう、とため息をついてカップを置くと、再びボールペンを持ち、カルテにペンを走らせる。

さらさらとペンが動くたび、白い紙の上に、頬《ほお》がふっくらした少女の顔が浮かびあがる。

浮世絵《うきよえ》タッチのその絵は、つい先日退院したばかりのシャンブロウ星人の女の子だった。

彼女はこんなに頬がふっくらしておらず、瞳《ひとみ》ももっと丸くて大きかったのだが、お静が描くと、全員が下ぶくれの切れ長フェイスになってしまう。

「サラセニアちゃんの絵ね」

「いまからだとちょっと遅いんですけど、いそがしくて、ずっと描けなかったんですよー」

それはお静がまだ新人ナースだったとき、患者の顔と名前を覚えるように、カルテのはしっこに似顔絵を描いたのがはじまりだった。

「天条院《てんじょういん》さんたちの指導、ありがとう。よけいにいそがしかったんじゃないの?」

「平気ですよー。天条院さん、優秀でしたからね。……あ、そうだ。先生。天条院さんから預《あず》かった絵本とぬいぐるみですが、昨日《きのう》、シャンブロウ星に、銀河《ぎんが》宅配便で送っておきました」

「宇宙便だと到着はすぐよね。テレビはどうしたの？」

「銀河テレビが映るように改造する必要があるんで、お客様相談室に問い合わせ中ですぅ。シャンブロウ星のメンテナンス会社を調べてもらっているので、まだ病室に置いたままです」

「そう。ありがとう。サラセニアちゃん、いまごろ『お姉ちゃん』のプレゼントを見ているころかしら」

「あ、そうだ。御門先生。公園の遊具の修理、終わったそうです。公園管理事務所から請《せい》求書《きゅうしょ》が来たので、立て替え払いしておきました。このお金は、サラセニアちゃんのご両親に請求していいんですね？」

「そうよ。レートの計算、大変だけど、よろしくね。……お静ちゃんが来てくれて助かってるの。いままでは、事務作業も全部私ひとりでやっていたから」

「照れちゃいますぅーっ」

お静はカルテを裏返して両手に持ち、御門先生に見せた。

「描《か》けましたっ！」

「上手《じょうず》だわ。お静ちゃんの絵って、個性的よね」

「あはは。私は四百年前に死んだ幽霊ですからねー。絵が古いのかもしれませんー」

「ううん。古くないわ。こんなにステキな絵、宇宙中を探しても見つからないわよ」

異星人である御門先生にとって、お静の描く浮世絵タッチの似顔絵は、宇宙一のステキな絵に見えるらしい。

「うれしいですぅっ」

お静はにこにこと笑《え》み崩《くず》れた。

「そうだ。御門先生の絵、描いてみましょうか」

「ほんと、うれしいわ」

「ちょっと待ってくださいね。描くなら本格的にやりますから」

お静は立ちあがると、棚《たな》の中からカルテを探り、白紙のカルテを引っ張り出す。

そのさい、ファイルがひとつ落ち、中にはさみこんであるカルテがバサバサと落ちた。

「きゃっ」

どの紙にも絵が描いてあることが見てとれた。お静はあわててカルテを拾ってファイルに戻す。

御門先生が、あらあら、という表情を浮かべて、悪戯《いたずら》っぽく笑った。

お静は硯《すずり》と筆を持ってきて墨《すみ》を摺《す》ったあと、正面に座る御門先生を見やりながら、静かに筆を走らせる。

「私、ペンより筆のほうが得意なんですよねーっ」

「わかるわ。お静ちゃんが新人だったころ、達筆すぎてカルテが読めなかったもの」

筆で草書するのを遠慮してもらい、ボールペンで楷書《かいしょ》するように指導して、ようやくカルテらしくなったのである。

「先生の特徴は胸もとのふくよかさと髪型ですね」

筆を走らせるさらさらという音が響《ひび》いたあと、やがてお静が筆を置いた。

浮世絵風の江戸《えど》小町《こまち》の絵だ。

髪型と白衣に、わずかに御門先生の面影《おもかげ》がある。

「ステキ、そっくりねっ。うれしいわ。壁に貼《は》ってもいいかしら？」

「もちろんですよぉー。先生の絵ですからね」

「お静ちゃん。ほかにもカルテに絵を描いてるでしょ。いっそ全部貼っちゃわない？」

「ばれましたかぁっ。あははっ」

お静はカルテの棚からファイルを取り出した。

カルテを取りだし、壁に貼っていく。

「これは、ヤミさんと美柑《みかん》ちゃんがタイヤキ屋さんの手伝いをしている絵ですぅ」

「ああ、あのおいしいタイヤキ屋さんでしょ？　私はチョコが好きだわ。お静ちゃん。また買ってきてくれないかしら？」

「あのタイヤキ屋さん、すごーく評判になっちゃって、いまじゃ売り切れることが多いんですぅ。見つけたら絶対買ってきますよっ。私も食べたいですからっ！」

「お願いね」

お静がもう一枚のカルテを壁に貼った。

「これは古手川《こてがわ》さんがオキワナ星の滋養強壮剤《じようきようそうざい》を飲んでしまって、性格が変わってしまったとき」

「あれはびっくりしたわねぇ。保健室に置きっぱなしにしていた私が悪かったんだけど。なんで奥のほうに隠しておいた滋養強壮剤を飲んでしまったのかしら」

「古手川さん、ネコ好きですよぅ。鉛筆もノートもネコだらけですもん」

「あぁ、ネコ……。あの貯金箱ね。お詫《わ》びに古手川さんにプレゼントしようかしら」

「古手川さんが喜びますぅーっ。古手川さん、あのあとトゲトゲしいところがなくなって、少しだけど丸くなったって評判ですよぉ。それから、これは春菜《はるな》さんとララさんとリトさんです」

春菜とララの真ん中で、リトが照れ笑いをしている絵だった。

「この三人、仲がいいわね」

「そうですね。三人とも仲良しですねー」

——春菜さん、リトさんを好きなんですよぉ。

とは、御門先生には言わない。これはお静と春菜だけの秘密だ。

「男の子ひとりに女の子二人なんて、普通ならケンカするのにね」

「私としては、春菜さんにがんばってほしいところなんですが、みんながんばれーって思っちゃいますねぇー。高校生っていうのはいましかない時間なんですから。死んだら最後ですしね」

幽霊のお静が言うからこそ重みのある言葉だった。

「そうね」

お静は壁の真ん中に、御門先生の肖像画を貼りつけた。

いましかない時間を過ごしている彼ら彼女らは、絵の中で、みんな楽しそうに笑っている。

POSTSCRIPT

今回内容に関しては最初の打ち合わせ以外は
長谷見さんとワカツキさんにお任せしていたので
僕はいち読者として楽しませていただきました。
文章で読む『To LOVEる-とらぶる-』は
想像力をかきたてられて新鮮ですね。
「香り」などの表現は漫画でもあまり触れる事がないので
何か妙にエロスを感じました(笑)

矢吹健太朗

POSTSCRIPT

今回は小説という形で皆様にお届けすることが出来ました。
最初、小説が出るという話を聞いたとき
「文章でこの世界表現できるかなぁ～」と不安に思いました。
ええ、ご存知本作品は『絵』で見せる部分を強調された漫画であり、
そこの表現が難しいかなと思ったのです。
だって、文章だとすごい表現になっちゃうんじゃないかなと
思ったり…ドキドキ…(笑)
でも、そこはワカツキさんが見事にクリアしてくれました!
心配もなく、ストレートに読めて一安心です!
(って、何が一安心なのかよくわからないけど(苦笑))

小説の打ち合わせは大きな問題もなくスムーズに行きました。
ボクの立場は監修でして、流れとしては打ち合わせ時、
ワカツキさん、矢吹さんの意見を聞いて、
最終的にどの話で行くかまとめて、
文章を書いていただいたという感じです。
コンセプトとしては外伝的な話という流れです。
リト、ララ、というよりは、サブキャラクターメインに…。

結果は…
読み終えたならもうおわかりだと思いますが、
ワカツキさんのドキドキバタバタ溢れる文章、
そしてせつなくもほほえましいキャラクターの心情が
見事に表現されていて、逆にボクがくやしい思いをしたぐらいっ!(笑)
ワカツキさんの活気溢れる表現力に脱帽です!

最後になりますが、今回小説化に関わっていただいたスタッフの皆様、
本作品の世界を見事に表現してくれたワカツキさん、
そしてこの本を手に取っていただいたファンの皆さん、
心から感謝をいたします。

ありがとうございました。

長谷見沙貴

POSTSCRIPT

はじめまして。
ノベライズライターのワカツキヒカルです。
大好きな『To LOVEる-とらぶる-』のノベライズができて光栄です。

『To LOVEる-とらぶる-』には魅力的なヒロインがいっぱい出てきますが、
メインヒロインのララと春菜ではなく、
サブヒロインを主役にしたオリジナルストーリーの
短編集にしてみました。

一話目は里紗・未央と春菜ちゃんの仲良し三人組が
ガールズトークをするお話。

二話目はヤミちゃんと美柑がタイヤキ作りに奮闘するお話。

三話目は唯ちゃんがデレるお話。

四話目は凛、綾、沙姫が保育士になってがんばるお話。

五話目は御門先生とお静ちゃんが雑談するお話です。

ストーリーは本編にないお話ばかりですが、
原作者の長谷見先生にきちんとチェックして頂きましたので、
『To LOVEる-とらぶる-』の読者さんの期待を裏切らない
出来になっていると思います。

矢吹先生の華麗なイラストともども、
『To LOVEる-とらぶる-』ワールドをお楽しみください!

２００９年６月１９日

ワカツキヒカル　拝

■初出
To LOVEる ―とらぶる― 危ないガールズトーク　書き下ろし

[To LOVEる ―とらぶる―] 危ないガールズトーク

2009年8月8日　第1刷発行
2012年7月29日　第7刷発行

著　者　矢吹健太朗 ◉ 長谷見沙貴 ◉ ワカツキヒカル

編　集　株式会社　集英社インターナショナル
〒101-8050　東京都千代田区一ツ橋2-5-10
TEL　03-5211-2632(代)

装　丁　福田記史 [Freiheit]

編集協力　添田洋平

発行者　太田富雄

発行所　株式会社　集英社
〒101-8050　東京都千代田区一ツ橋2-5-10
TEL　03-3230-6297(編集部) 3230-6393(販売部) 3230-6080(読者係)

印刷所　凸版印刷株式会社

Printed in Japan　ISBN978-4-08-703208-6 C0093